LES PROIES DU VOLCAN

casterman

Les Aventures d'ALIX
sont éditées dans les langues suivantes :

Allemand :	EHAPA	**Stuttgart**
Danois :	CARLSEN/IF	**Bagsvaerd**
Indonésien :	INDIRA	**Djakarta**
Islandais :	FJÖLVI	**Reykjavik**
Néerlandais :	CASTERMAN	**Tournai-Dronten**
Portugais :	EDIÇOES	**Lisbonne**
Suédois :	CARLSEN/IF	**Stockholm**

ISSN 0750-1471
ISBN 2-203-31214-9

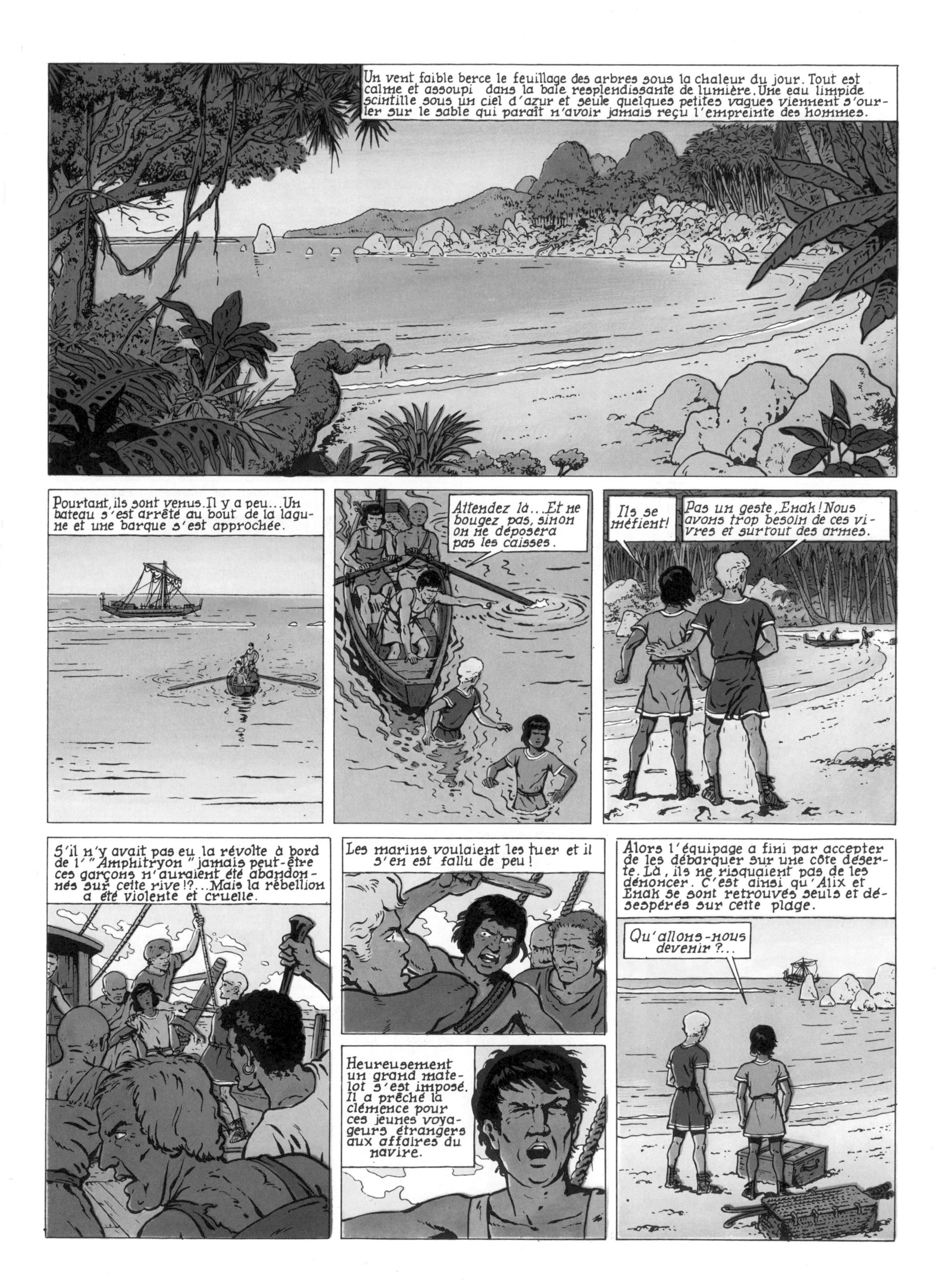
Un vent faible berce le feuillage des arbres sous la chaleur du jour. Tout est calme et assoupi dans la baie resplendissante de lumière. Une eau limpide scintille sous un ciel d'azur et seule quelques petites vagues viennent s'ourler sur le sable qui paraît n'avoir jamais reçu l'empreinte des hommes.
Pourtant, ils sont venus. Il y a peu... Un bateau s'est arrêté au bout de la lagune et une barque s'est approchée.
Attendez là... Et ne bougez pas, sinon on ne déposera pas les caisses.
Ils se méfient!
Pas un geste, Enak! Nous avons trop besoin de ces vivres et surtout des armes.
S'il n'y avait pas eu la révolte à bord de l'"Amphitryon" jamais peut-être ces garçons n'auraient été abandonnés sur cette rive!?... Mais la rébellion a été violente et cruelle.
Les marins voulaient les tuer et il s'en est fallu de peu!
Heureusement un grand matelot s'est imposé. Il a prêché la clémence pour ces jeunes voyageurs étrangers aux affaires du navire.
Alors l'équipage a fini par accepter de les débarquer sur une côte déserte. Là, ils ne risquaient pas de les dénoncer. C'est ainsi qu'Alix et Enak se sont retrouvés seuls et désespérés sur cette plage.
Qu'allons-nous devenir?...

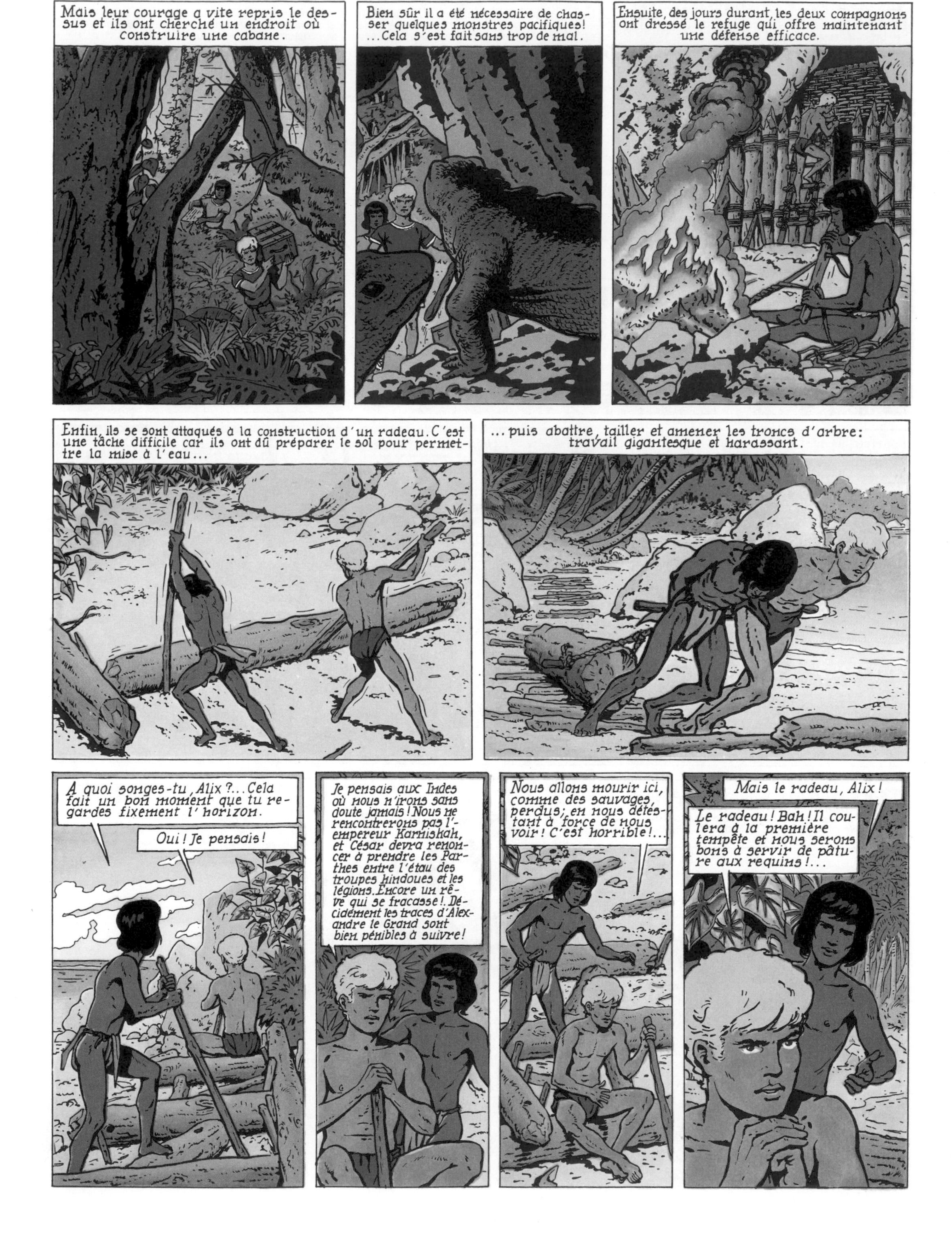
Mais leur courage a vite repris le dessus et ils ont cherché un endroit où construire une cabane.
Bien sûr il a été nécessaire de chasser quelques monstres pacifiques! ...Cela s'est fait sans trop de mal.
Ensuite, des jours durant, les deux compagnons ont dressé le refuge qui offre maintenant une défense efficace.
Enfin, ils se sont attaqués à la construction d'un radeau. C'est une tâche difficile car ils ont dû préparer le sol pour permettre la mise à l'eau...
...puis abattre, tailler et amener les troncs d'arbre: travail gigantesque et harassant.
A quoi songes-tu, Alix?... Cela fait un bon moment que tu regardes fixement l'horizon.
Oui! Je pensais!
Je pensais aux Indes où nous n'irons sans doute jamais! Nous ne rencontrerons pas l'empereur Karniskah, et César devra renoncer à prendre les Parthes entre l'étau des troupes hindoues et les légions. Encore un rêve qui se fracasse!. Décidément les traces d'Alexandre le Grand sont bien pénibles à suivre!
Nous allons mourir ici, comme des sauvages, perdus; en nous détestant à force de nous voir! C'est horrible!...
Mais le radeau, Alix!
Le radeau! Bah! Il coulera à la première tempête et nous serons bons à servir de pâture aux requins!...

Pourquoi dis-tu cela ?... Notre situation est donc sans espoir ?...
Un coup de cafard.
Est-ce possible, toi qui n'as jamais perdu courage ! Dire pareille chose !
C'est vrai, Enak ! Je fléchis peut-être pour mieux sauter. En vérité c'est plus par rage et dépit que je t'ai dit cela. Oublie-le et reprenons notre tâche.
Et le soir venu...
Demain il faudra chasser : nous n'avons plus beaucoup de provisions.
Pas trop tôt, car j'ai terriblement sommeil.
Eh bien, bonne nuit ! Je vais recharger le feu et faire comme toi.
Mais subitement.
HIIIIIIIIHIIIIIIIIIII
Tu as entendu ? ......
Oui ! Quel cri terrible !
Cela venait de ce côté.
En pleine nuit, c'est imprudent. Ne t'éloigne pas, Alix.
Tu as peut-être raison. Pourtant ce hurlement !?...
Je ne voulais pas aller bien loin et je...
HIIIIHIIIIHIIIIIII
Pas de doute ce sont des hommes... Je vais grimper sur ce rocher.
C'est de la folie ! Reste ici.

N'aie pas peur, je ne vais pas monter bien haut : juste là . . .
Alors je t'attends ici. Mais sois prudent !
Et peu après . . .
Des lueurs à l'horizon ! . . . C'est donc habité !? Voilà qui est intéressant.
Cette petite exploration n'aura pas été inutile : je viens d'apercevoir des lumières derrière ces montagnes. Très loin, mais nettes.
Puis, dans l'abri . . .
Donc tu crois qu'il y a des gens sur ce territoire ?
Sans l'ombre d'un doute. Pourtant je n'ai pas l'intention d'aller à leur rencontre. L'essentiel, pour nous, est d'achever le radeau au plus vite et de quitter ce rivage.
En effet ! Je suis content de te l'entendre dire. Cette fois, bonne nuit.
Bonsoir !
Lorsque soudain . . .
POK
POK POK POK

POK POK
Attention !... Je vais ouvrir !
Qu'est-ce que ?...
Un indigène !... En pleine nuit !?...
Il tremble de la tête aux pieds ! Que lui arrive-t-il ?...
Je vais refermer la porte. Tiens-le à l'oeil.
Il est bien jeune, et n'a pas l'air très dangereux !...
Comment savoir ce qu'il lui arrive ? Il va s'exprimer dans un langage incompréhensible pour nous !
Secoue-le. On va voir !...
Hé !... Hé !... Retourne-toi. N'aie pas peur !
Malua peur !... Peur !... Malua faim... Manger !...
Une fille !... Ça alors !...
Eh bien !?... Elle parle des bribes de phénicien et de latin !... Voilà qui est bizarre !
Tiens !.. Euh ! Malua !?...
Elle est tombée de sommeil ; d'un coup !
Peut-être en saurons-nous davantage demain... Mais que tout cela est étrange !...

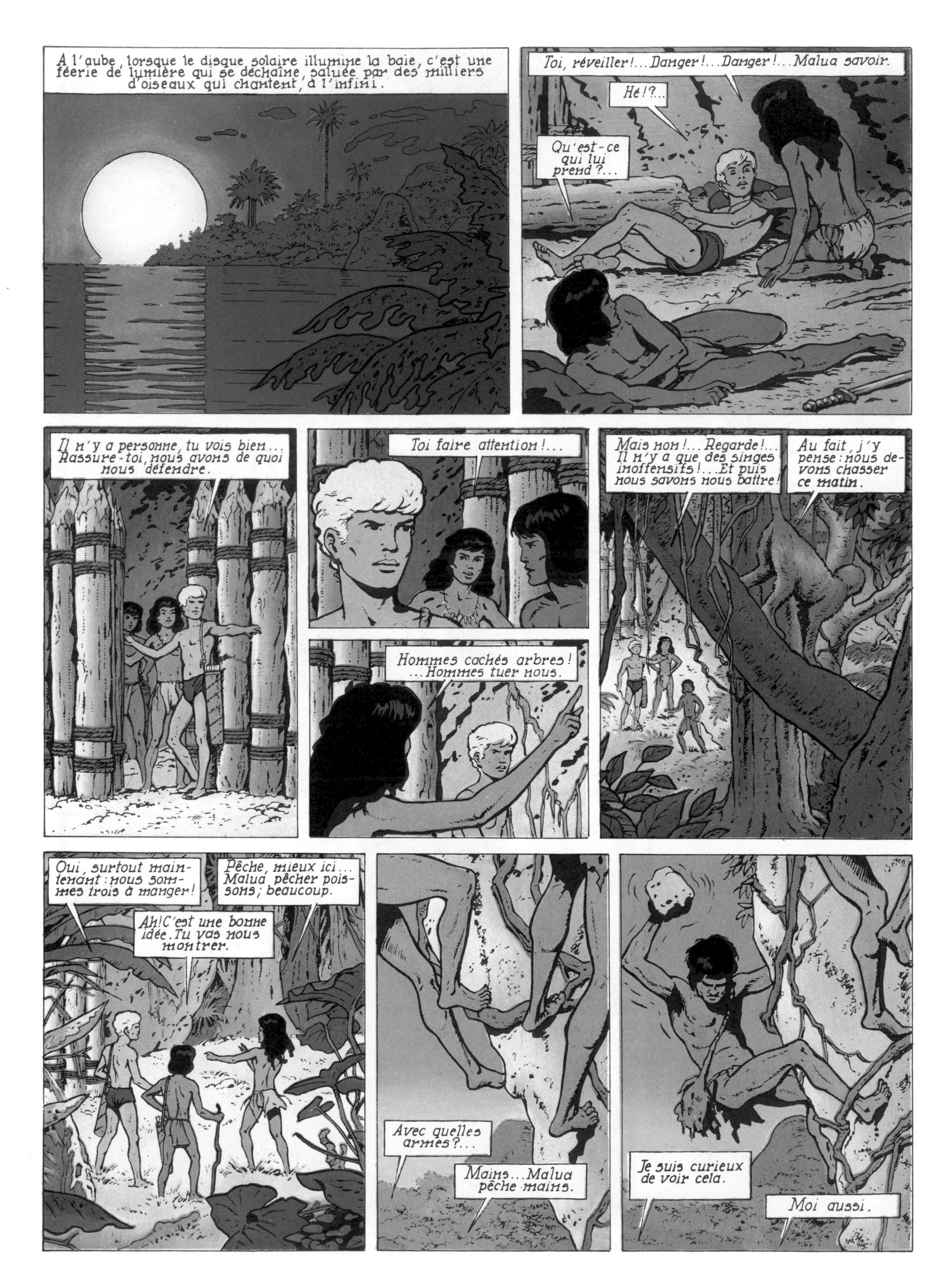
A l'aube, lorsque le disque solaire illumine la baie, c'est une féerie de lumière qui se déchaîne, saluée par des milliers d'oiseaux qui chantent, à l'infini.
Toi, réveiller!... Danger!... Danger!... Malua savoir.
Hé!?...
Qu'est-ce qui lui prend?...
Il n'y a personne, tu vois bien... Rassure-toi, nous avons de quoi nous défendre.
Toi faire attention!...
Hommes cachés arbres! ...Hommes tuer nous.
Mais non!... Regarde!... Il n'y a que des singes inoffensifs!... Et puis nous savons nous battre!
Au fait, j'y pense: nous devons chasser ce matin.
Oui, surtout maintenant: nous sommes trois à manger!
Pêche, mieux ici... Malua pêcher poissons; beaucoup.
Ah! C'est une bonne idée. Tu vas nous montrer.
Avec quelles armes?...
Mains... Malua pêche mains.
Je suis curieux de voir cela.
Moi aussi.

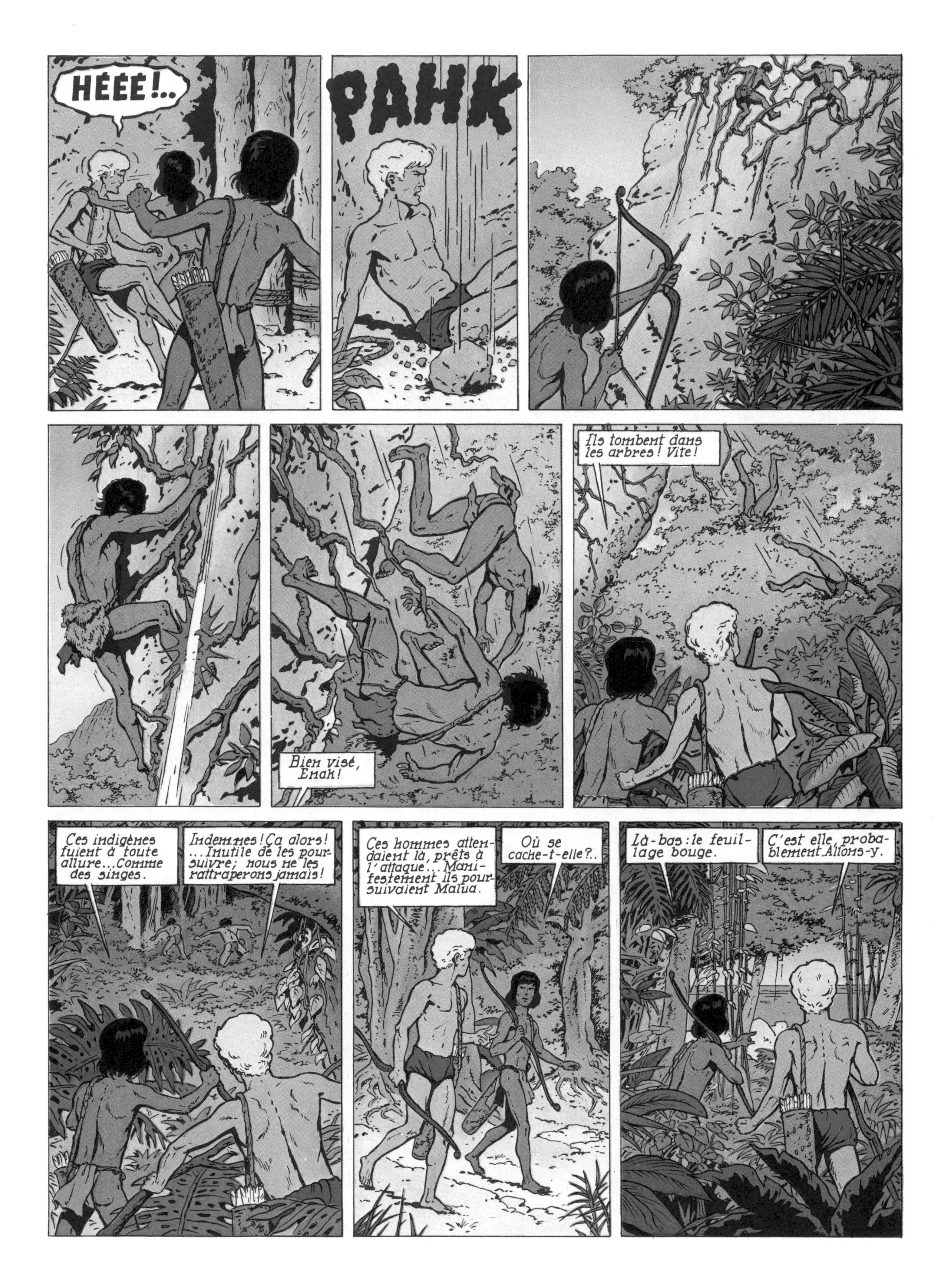
HÉÉÉ!..
PAHK
Ils tombent dans les arbres ! Vite !
Bien visé, Enak !
Ces indigènes fuient à toute allure... Comme des singes.
Indemnes ! Ça alors ! ...Inutile de les poursuivre; nous ne les rattraperons jamais !
Ces hommes attendaient là, prêts à l'attaque... Manifestement ils poursuivaient Malua.
Où se cache-t-elle ?..
Là-bas : le feuillage bouge.
C'est elle, probablement. Allons-y.

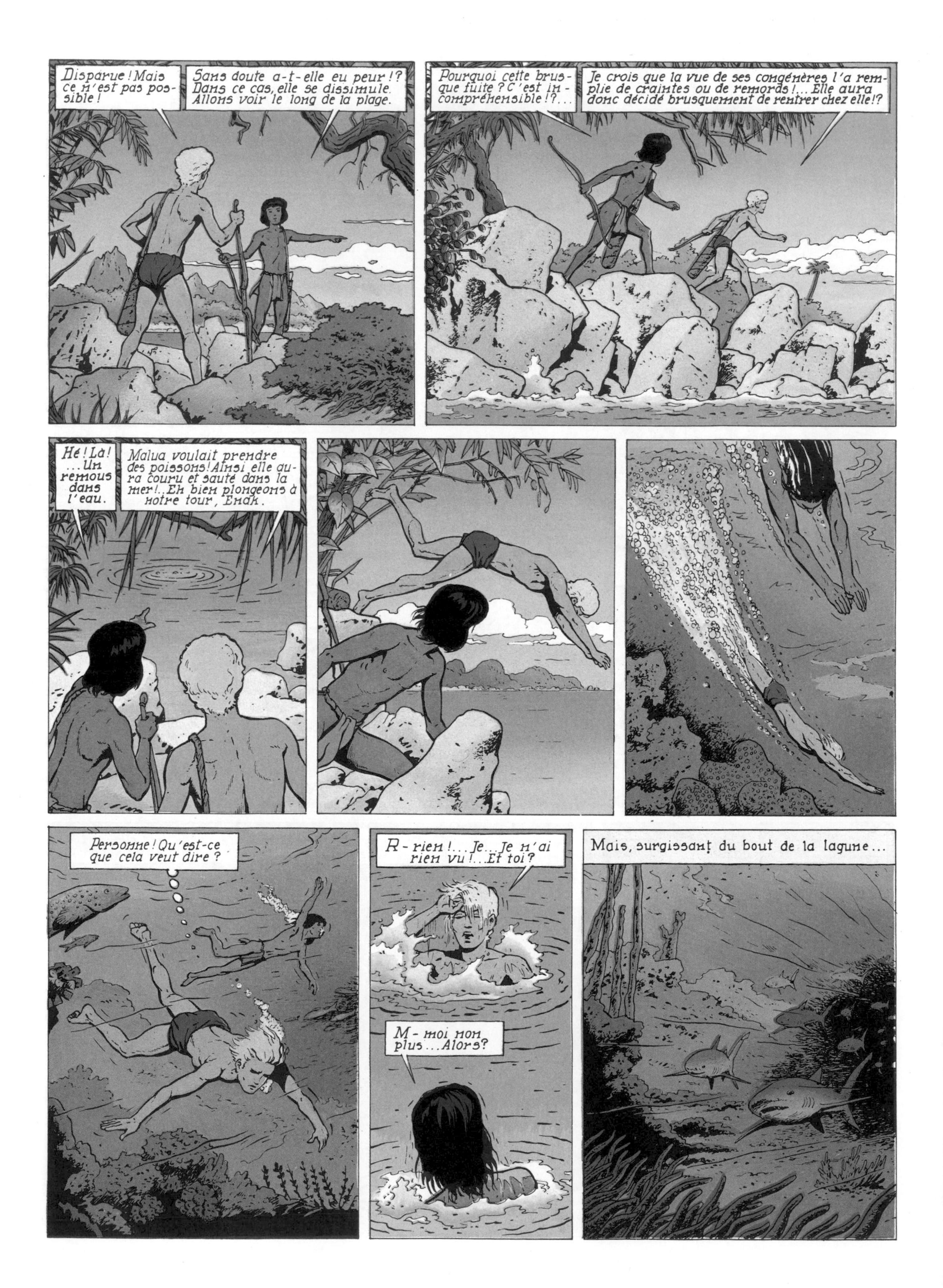

Disparue ! Mais ce n'est pas possible !
Sans doute a-t-elle eu peur !? Dans ce cas, elle se dissimule. Allons voir le long de la plage.
Pourquoi cette brusque fuite ? C'est incompréhensible !?...
Je crois que la vue de ses congénères l'a remplie de craintes ou de remords !... Elle aura donc décidé brusquement de rentrer chez elle!?
Hé ! Là ! ...Un remous dans l'eau.
Malua voulait prendre des poissons ! Ainsi elle aura couru et sauté dans la mer !.. Eh bien plongeons à notre tour, Enak.
Personne ! Qu'est-ce que cela veut dire ?
R-rien !... Je... Je n'ai rien vu !... Et toi ?
M-moi non plus... Alors?
Mais, surgissant du bout de la lagune...

ALIX!..DES REQUINS!..
HAAH! ET LA RIVE EST LOIN!
OOOH!.

Aussitôt, avec une frénésie inouïe, les squales, enivrés par le sang de leurs compagnons, s'entre-dévorent dans un tourbillon fantastique.
Vite!... Sortez mer! ... Dépêchez.
Comment te remercier, Malua?
Sans toi, nous aurions éprouvés de grandes difficultés pour nous défendre contre ces monstres!... Mais pourquoi te cachais-tu?...
Malua pas cacher... Malua chercher poissons.. Là... Venir.
Regarde.
Cette fille est surprenante!.. Et ce paysage merveilleux.
Formidable!
Une chute d'eau! C'est donc cela le bruit que l'on entendait!... Oh qu'elle est limpide!
Ici beaucoup pêche.
Tu as raison, Alix, ce site est vraiment enchanteur.
...et l'eau extraordinairement douce.
KARAKOA MO-LOK..
Comment ? Que dis-tu?..
?
!
HAAH!..

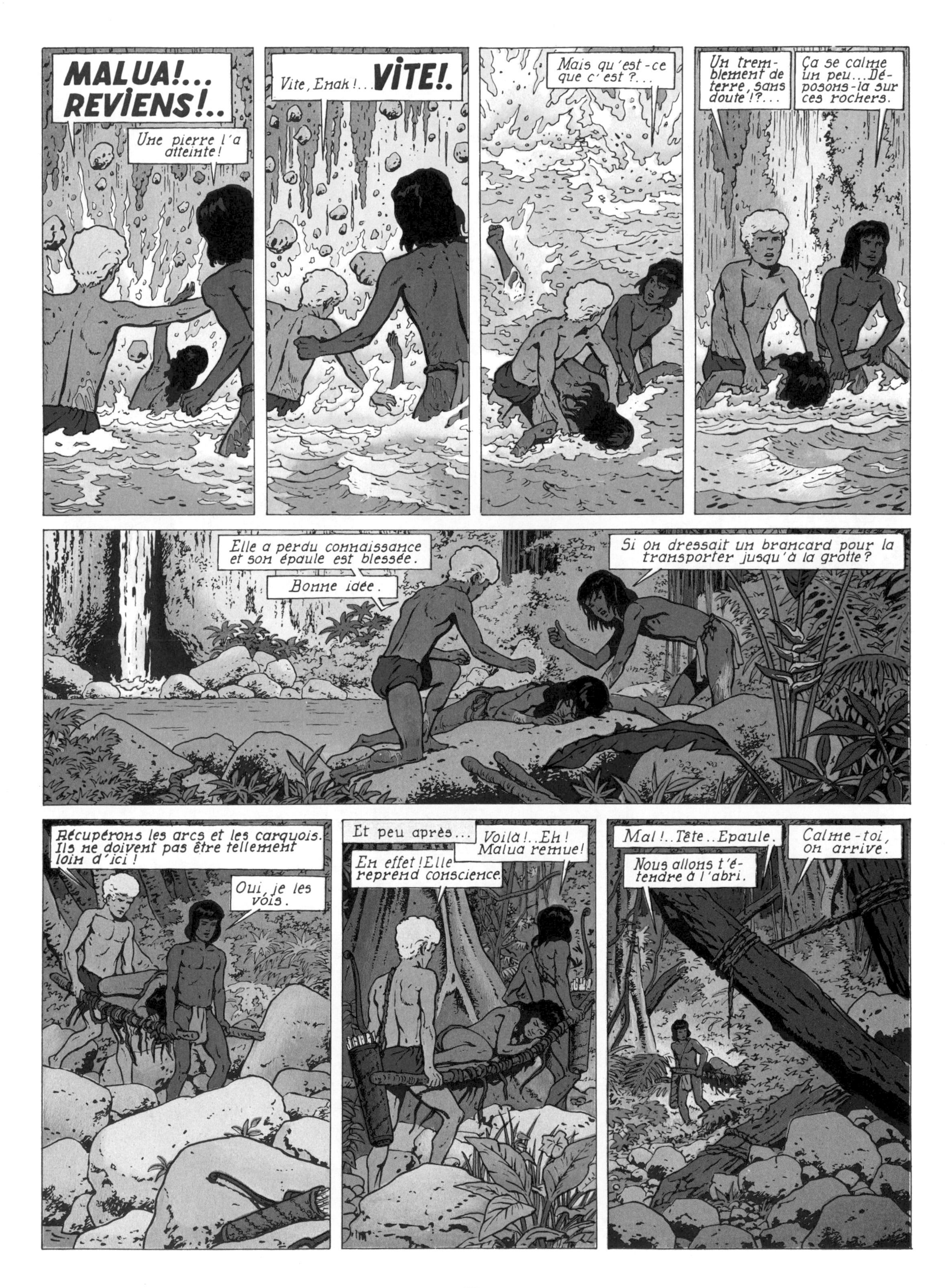
MALUA!... REVIENS!..
Une pierre l'a atteinte!
Vite, Enak!... VITE!.
Mais qu'est-ce que c'est?...
Un tremblement de terre, sans doute!?...
Ça se calme un peu... Déposons-la sur ces rochers.
Elle a perdu connaissance et son épaule est blessée.
Si on dressait un brancard pour la transporter jusqu'à la grotte?
Bonne idée.
Récupérons les arcs et les carquois. Ils ne doivent pas être tellement loin d'ici!
Oui, je les vois.
Et peu après...
Voilà!.. Eh! Malua remue!
En effet! Elle reprend conscience.
Mal!.. Tête.. Epaule.
Calme-toi, on arrive.
Nous allons t'étendre à l'abri.

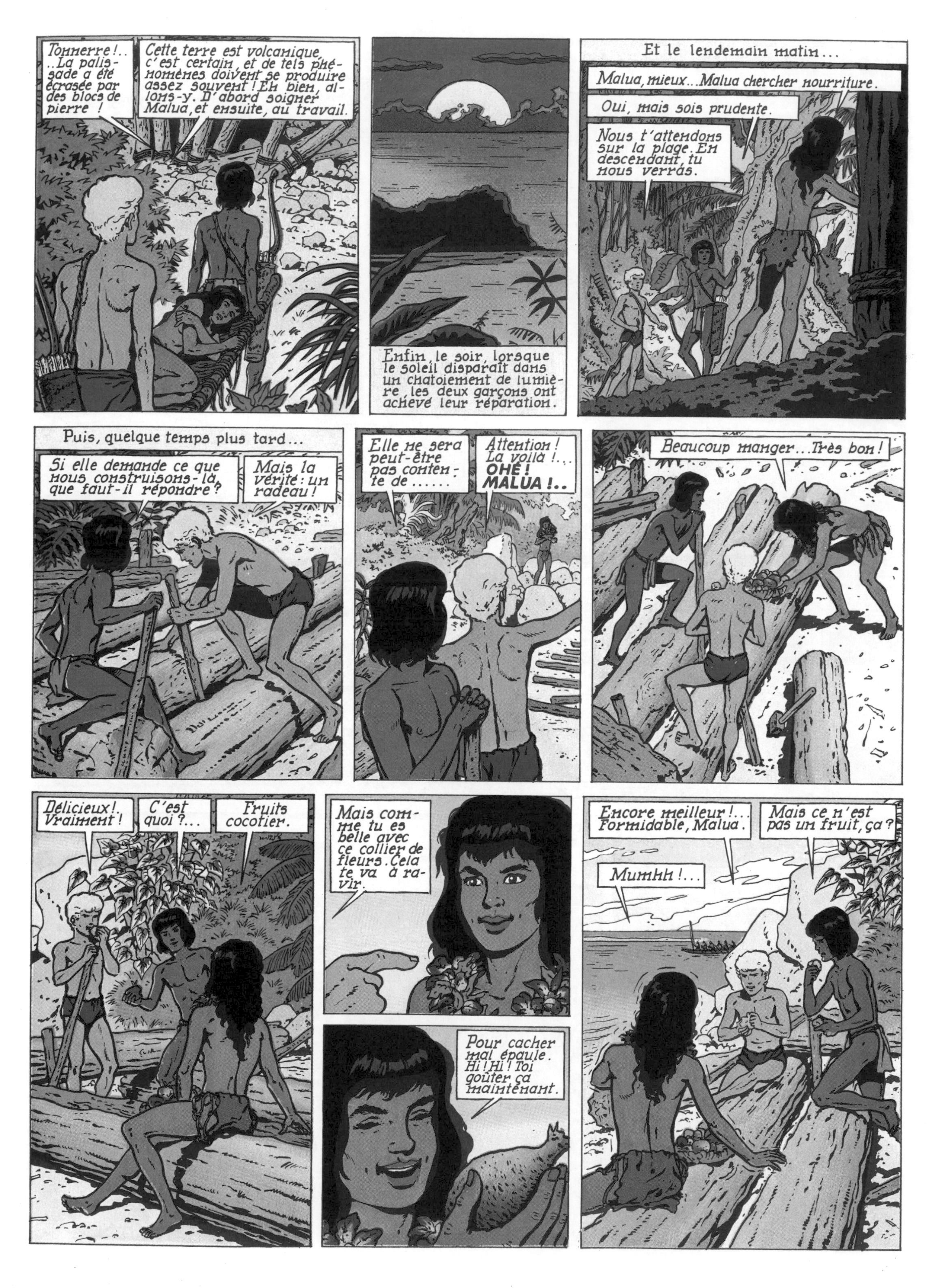
Tonnerre!.. ..La palissade a été écrasée par des blocs de pierre !
Cette terre est volcanique, c'est certain, et de tels phénomènes doivent se produire assez souvent! Eh bien, allons-y. D'abord soigner Malua, et ensuite, au travail.
Enfin le soir, lorsque le soleil disparaît dans un chatoiement de lumière, les deux garçons ont achevé leur réparation.
Et le lendemain matin...
Malua, mieux...Malua chercher nourriture.
Oui, mais sois prudente.
Nous t'attendons sur la plage. En descendant, tu nous verras.
Puis, quelque temps plus tard...
Si elle demande ce que nous construisons-là, que faut-il répondre?
Mais la vérité: un radeau!
Elle ne sera peut-être pas contente de ......
Attention! La voilà!...
OHÉ! MALUA!..
Beaucoup manger...Très bon!
Délicieux!. Vraiment!
C'est quoi?...
Fruits cocotier.
Mais comme tu es belle avec ce collier de fleurs. Cela te va à ravir.
Pour cacher mal épaule. Hi! Hi! Toi goûter ça maintenant.
Encore meilleur!... Formidable, Malua.
Mais ce n'est pas un fruit, ça?
Mumhh!...

Une barque !
Là !... Hommes tribu Malua !
Les arcs et les carquois !.. Vite !
Laissons-les s'approcher.
Hé ! Le bateau vogue hors de portée.
En effet, ils s'éloignent à présent... et semblent vouloir mettre pied à terre sur la lagune.
Malua !.. Où vas-tu ? Reste avec nous.
N'aie pas peur ! Nous te protégerons... Mais pourquoi fuis-tu ainsi tes frères de race ?...
Eux venir prendre Malua... Donner Malua à dieu volcan.
Viens. Nous allons essayer de les chasser.
Et lorsque l'obscurité tempère la chaleur du jour, un grand feu monte de la lagune, au loin, rythmé par les étranges et lancinantes mélopées des indigènes.
Enfin, au milieu de la nuit...

Les hommes sortent du canot avec précaution, observent un moment l'assemblage du radeau...
Et brusquement, ils se précipitent avec furie sur les troncs d'arbre.
Tonnerre ! Ils vont tout démolir !
Nous avons bien fait de veiller. Enflamme les flèches, Enak.
C'est leur bateau qu'il faut atteindre... Attention !...
Je suis prêt.
POK
Ils s'en vont !... C'est une réussite !
Eux plus revenir. Malua contente, contente !
Formidable, Enak ! Une fois encore, tu as visé juste.
Eh bien, espérons que nous allons être tranquilles pendant un certain temps !

HAAAH!...
MALUA! QU'AS-TU FAIT?
LES ARBRES! ILS S'EMBRASENT COMME DE LA PAILLE!...
Moi malheureuse!... Jeter dans feu!...
Ne fais pas l'idiote! Allons, viens ici.
Et tandis que les indigènes s'enfuient terrorisés......
...les flammes s'étioient sous le couvert humide de la forêt tropicale.
Le lendemain matin, lorsque le soleil perce les fumées de l'incendie, une longue bande de cocotiers apparaît calcinée.
Le vent soufflait du nord, ce fut notre chance.
De toute façon il le fallait afin d'éviter que le radeau soit détruit.
Tout ça faute Malua.
Mais non, nous sommes tous responsables. Il y avait des risques en amenant ce brasier, là, hier soir.
Oui!.. Mais maintenant nous devons le terminer au plus vite: on ne peut pas s'éterniser ici.
Certes, toutefois une voile est indispensable... Mais comment la fabriquer?!. Avec des lianes cela mettra un temps fou!
Sans voile cette embarcation sera incontrôlable: le jouet des vagues et des courants ... Il y a bien un moyen: convaincre les indigènes de nous céder des peaux qu'il faudra attacher ensemble.
En allant à eux avec des démonstrations pacifiques, peut-être ne nous accueilleront-ils pas trop mal!? De toute manière il n'y a pas d'autre solution.
Le problème c'est Malua, et la persuader va être difficile!... Regarde! La pauvre, elle ramasse des coquillages ne sachant que faire pour se rendre utile!. Mais nous ne pouvons la garder avec nous et elle doit retourner dans sa tribu... Je vais lui parler.

Malua, Enak et moi pensons qu'il n'est pas possible de rester longtemps dans cette région... Euh! Mais pour partir nous avons besoin des gens de ton village. Alors, peux-tu nous y conduire... Si tu veux bien !
NON!. RESTE!..
Il est impossible de vivre constamment en conflit avec ton peuple. Mais n'aie crainte : nous te protégerons et je te jure que personne ne te fera du mal.
Quant à manier ces armes tu as vu le résultat !
Frêres Malua peur ça!... Eux pas connaître! Très peur !
Cela facilitera encore les choses. Bon! Eh bien il n'y a plus qu'à dissimuler notre radeau.
Alors une partie de la journée se passe à cacher les troncs d'arbres, puis à préparer l'expédition.
Le lendemain matin, lorsque les premiers rayons du jour filtrent à travers les feuillages, le trio se met en marche.
Et lorsque le soir arrive.
Quelle abomination cette jungle! Il va être temps de préparer un gîte pour la nuit.
Chemin bon... Plus loin rocher pour reposer.
Enfin...
Eh! Formidable!.. Nous allons même pouvoir nous baigner.
Eau très douce!
Là, pour installer un campement se sera l'idéal.. Qu'en dis-tu?. Enak?.
Enak ?:.. ENAK!?.

Mon enfant !...
Viens !..Viens !
Il faut l'étouffer !
...l'étouffer !...
Enn...na......
Alix !?...
Alix !?...A...
Mais je suis là !......
Que!.Que m'est-il ar-rivé ?...
Un singe-marsupial a voulu t'étrangler. Heureusement je suis arrivé à temps !..Cette forêt est pleine de dangers; nous devons être plus attentifs.
Et un peu plus tard...
Enak pendant que tu vas te reposer, Malua et moi allons arranger un campement pour la nuit. L'endroit convient très bien.
Oui !
Enfin la nuit venue...
Il faudra alimenter le feu jusqu'à l'aube : cela écartera les animaux.
Nous beaucoup bois.
Regarde Enak ! Il est plongé dans un profond sommeil ! Les dernières émotions l'ont brisé !
BROOU OUUM
Qu'est-ce que ?...
MOH-LOK. Lui toujours faire ça.
Hé ! Mais cette fois, c'est une éruption !
...

Beaucoup cendres tomber sur huttes.
Un jour, ce volcan se déchaînera et ce sera la catastrophe !... Moloch ; il porte bien son nom !
Mais dis-moi, Malua ; tu ne m'as pas encore expliqué pourquoi tu parles si bien le phénicien !?... C'est extraordinaire !
Chef village et sorcier apprendre à enfants.
Mais dans quel but ? Et comment ces gens ont-ils eu connaissance du langage d'un pays si lointain ?
Malua pas savoir !.. Vieilles personnes village pas connaître, pas comprendre. Malua elle contente savoir parler avec toi. Malua apprendre encore mieux.
Malua pas dormir pour regarder feu. Rester près Alix, toute nuit.
Alors je vais veiller aussi le plus longtemps possible : cette nuit est tellement belle !.. Pendant que tu observeras ce feu moi je contemplerai les étoiles et nous finirons peut-être par nous endormir dans la même splendeur.
Le lendemain, lorsque le soleil est à son zénith......
Passer entre montagnes. Forêt très épaisse.
Maintenant suivre rivière.
Cette eau n'est pas profonde : on gagnerait du temps en marchant dedans.
Non ! Danger !
En effet ! Ces crocodiles, là-bas, n'attendent qu'une erreur de notre part pour attaquer.
Je ne les avais pas vus !
Marcher côté eau. Bientôt ciel revenir. Entrer trou dans terre : village après.
La rivière pénètre dans cette grotte : voilà qui est étrange !
Allons-y.
Oh ! Que cette eau est tiède !
Malua !? Eh bien, pourquoi restes-tu là ?.. Que se passe-t-il ?...

Malua pas aller plus loin!.. Attendre ici!..Village mauvais!..Chef vouloir donner Malua à dieu volcan.
Mais ce n'est pas possible! On ne peut pas l'abandonner!
Je comprends très bien que retourner chez toi soit difficile, Malua; pourtant je t'assure que nous ferons tout pour te protéger. Allons, aie confiance.
Oui!...Malua aller avec toi... Mais Malua repartir avec toi.
C'est bien de surmonter tes craintes: le courage est toujours préférable à la peur. Tu es vraiment une brave fille... Tout se passera bien, rassure-toi.
Lorsque, soudain...
Eh! Là-haut! Des enfants!...
Maintenant tribu très près.
Tonnerre Quelle frousse!...
Puis un peu plus tard.
Ces jeunes ont donné l'alerte et tous les habitants ont couru se cacher.
Par peur aussi, certainement! Alors derrière ces frondaisons quantité d'yeux nous observent!
Ils sont bien dissimulés en tout cas: rien ne bouge!
Si, là-bas!...
Eh bien, allons-y!

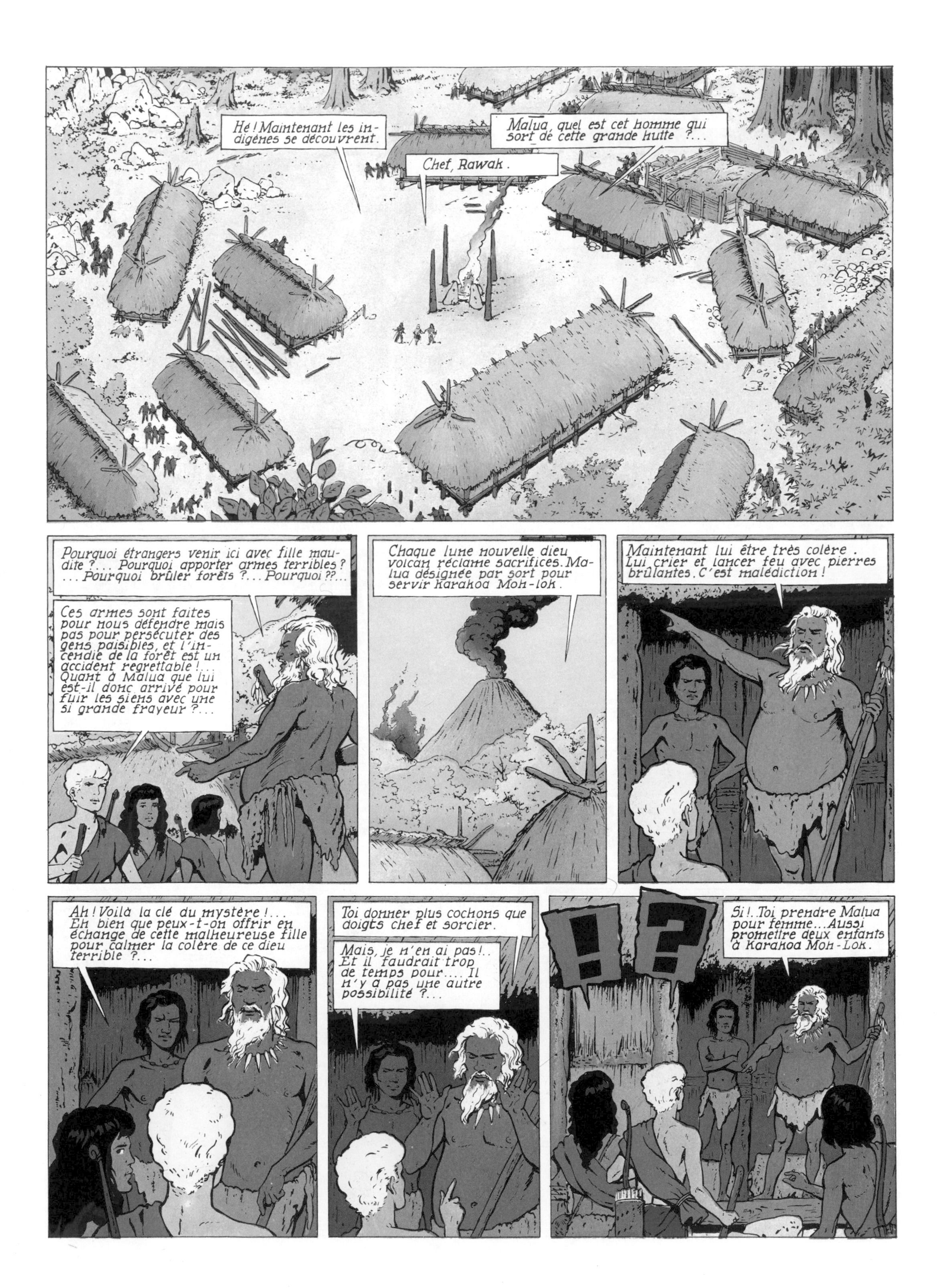
Hé ! Maintenant les indigènes se découvrent.
Malua, quel est cet homme qui sort de cette grande hutte ?...
Chef, Rawak.
Pourquoi étrangers venir ici avec fille maudite ?... Pourquoi apporter armes terribles ? ... Pourquoi brûler forêts ?... Pourquoi ??...
Ces armes sont faites pour nous défendre mais pas pour persécuter des gens paisibles, et l'incendie de la forêt est un accident regrettable !... Quant à Malua que lui est-il donc arrivé pour fuir les siens avec une si grande frayeur ?...
Chaque lune nouvelle dieu volcan réclame sacrifices. Malua désignée par sort pour servir Karakoa Moh-Lok.
Maintenant lui être très colère. Lui crier et lancer feu avec pierres brûlantes. C'est malédiction !
Ah ! Voilà la clé du mystère !... Eh bien que peux-t-on offrir en échange de cette malheureuse fille pour calmer la colère de ce dieu terrible ?...
Toi donner plus cochons que doigts chef et sorcier.
Mais, je n'en ai pas !.. Et il faudrait trop de temps pour.... Il n'y a pas une autre possibilité ?...
!
?
Si !. Toi prendre Malua pour femme... Aussi promettre deux enfants à Karakoa Moh-Lok.

S'il est de coutume, dans votre tribu, d'acheter la jeune fille que l'on veut épouser j'entends ne pas m'y soumettre. Pourtant je vais garder Malua auprès de moi tant que je serai ici...et elle repartira avec nous. Demande-moi autre chose !...
Alors toi apprendre à chasseurs fabriquer armes qui jettent lances.
Tu as raison et tort à la fois, mais soit !... Enak, mon compagnon, est un habile tireur à l'arc. Il apprendra à tes jeunes guerriers.
D'accord, mais en contre partie je veux dix pas sur dix pas de peaux fines cousues ensemble.
Nous faire ça.
Moi assurer liberté à toi et tes amis dans village jusqu'à grosse lune. Lorsque grosse lune venir éclairer nuit vous quitter vallée sinon dieu volcan colère.
Entendu.
Frères revenir maintenant. Eux moins peur.
Tu vois, Malua, cela s'est assez bien passé !
Malua heureuse mais rester avec Alix et Enak.
Mais soudain...
Kheree Rawhak Jkohl trawklô Maluah Puokh Kelu raath rawlhiwh... thoukh cklans-phuo.
Khrôâh Khrôôh schaurh mekhar Malua skrah.
Que se passe-t-il ?...
Guerrier Karikuora vouloir acheter Malua.

Vahr tawhkk Kersthöo suhrh... Karikuarah phâr tiouöhr.
Vhûrh !...
Chef pas vouloir. Dire pas maintenant.
J'espère que l'irritation de ça Karikuara tombera avant la nouvelle lune !?!
Le soir venu, les trois amis occupent une petite hutte.
Nous ne serons pas trop mal ici... du moins pendant un certain moment !
Juste le temps d'essayer de résoudre l'énigme de ce volcan ; de ce dieu Karakoa-Mohlok à qui l'on sacrifie des êtres humains.
Mais pourquoi les hommes ont-ils toujours la rage de s'installer au pied de pareils monstres?...
Parce que les terres sont très fertiles... et puis par fascination, sans doute !
Et quelques jours plus tard...
...Il faudra renforcer certaines coutures. Je vais surveiller ce travail pendant que tu instruiras tes jeunes guerriers... À ce propos, n'en fais pas trop, Enak.
Rassure-toi.
Venez par ici.
Pour bien viser il faut armer l'arc ainsi...
...puis le dresser comme cela... Allez-y.
TCHAK

Une flèche ! Avec une pointe en fer bleu d'Ibérie.
C'est une arme romaine, ou grecque ! Qui a bien pu lancer cela ici ?...
Mais, brusquement...
Cette fois c'est un tir groupé !
Oui mais ceux-là sont de bien mauvais traits.
Partons !... Inutile qu'on nous découvre...
Tu as raison. Cependant voilà qui risque de compliquer nos affaires... Il faudra aviser cette nuit.
Puis, un peu plus tard...
Impossible de retrouver cette flèche !?... Pourtant je l'ai clairement entendue se ficher dans un arbre !... Etrange !... Enfin !...
Hé ! Venez... Cela suffit pour aujourd'hui. Rentrons.
Le soir venu, avant que la lumière s'estompe au-dessus de la forêt, les villageois se retrouvent sur la place pour goûter ensemble les derniers instants du jour.
As-tu remarqué, Enak, il y a beaucoups d'enfants et de vieillards dans ce village... et bien peu de gens dans la force de l'âge !
Cela pourrait être une explication !
Peut-être Karakoa-Moloch avoir tous dévorés.
En effet, c'est curieux ! Pourquoi cela ?
Enfin, beaucoup plus tard, lorsque les premières lueurs du jour filtrent à travers les hauts feuillages.
...et que les rayons du levant illuminent le Karakoa...
?

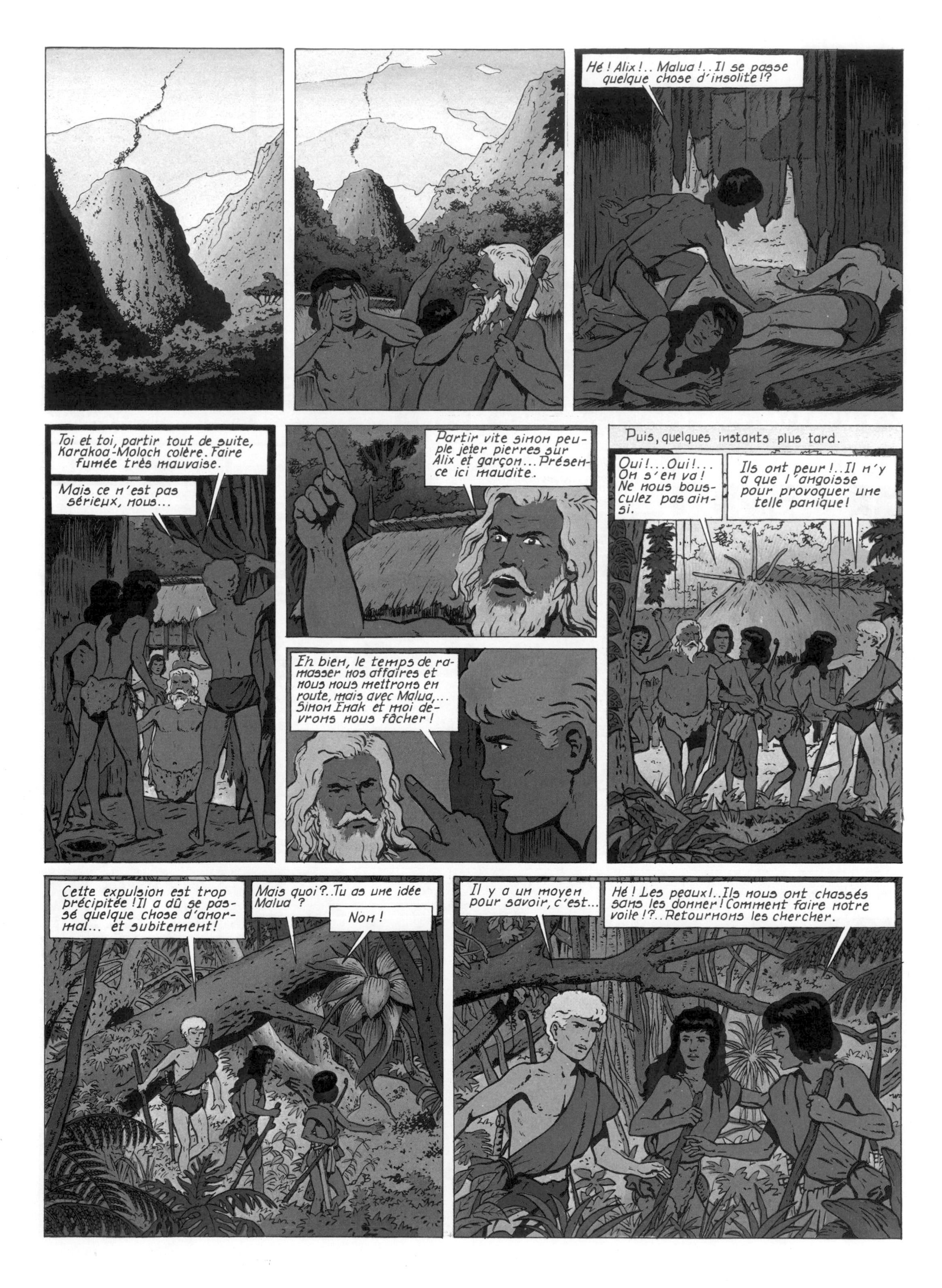
Hé ! Alix !.. Malua !.. Il se passe quelque chose d'insolite !?
Toi et toi, partir tout de suite, Karakoa-Moloch colère. Faire fumée très mauvaise.
Mais ce n'est pas sérieux, nous...
Partir vite sinon peuple jeter pierres sur Alix et garçon... Présence ici maudite.
Eh bien, le temps de ramasser nos affaires et nous nous mettrons en route, mais avec Malua,... Sinon Enak et moi devrons nous fâcher !
Puis, quelques instants plus tard.
Oui !... Oui !... On s'en va ! Ne nous bousculez pas ainsi.
Ils ont peur !.. Il n'y a que l'angoisse pour provoquer une telle panique !
Cette expulsion est trop précipitée ! Il a dû se passé quelque chose d'anormal... et subitement !
Mais quoi ?.. Tu as une idée Malua ?
Non !
Il y a un moyen pour savoir, c'est...
Hé ! Les peaux !.. Ils nous ont chassés sans les donner ! Comment faire notre voile !?.. Retournons les chercher.

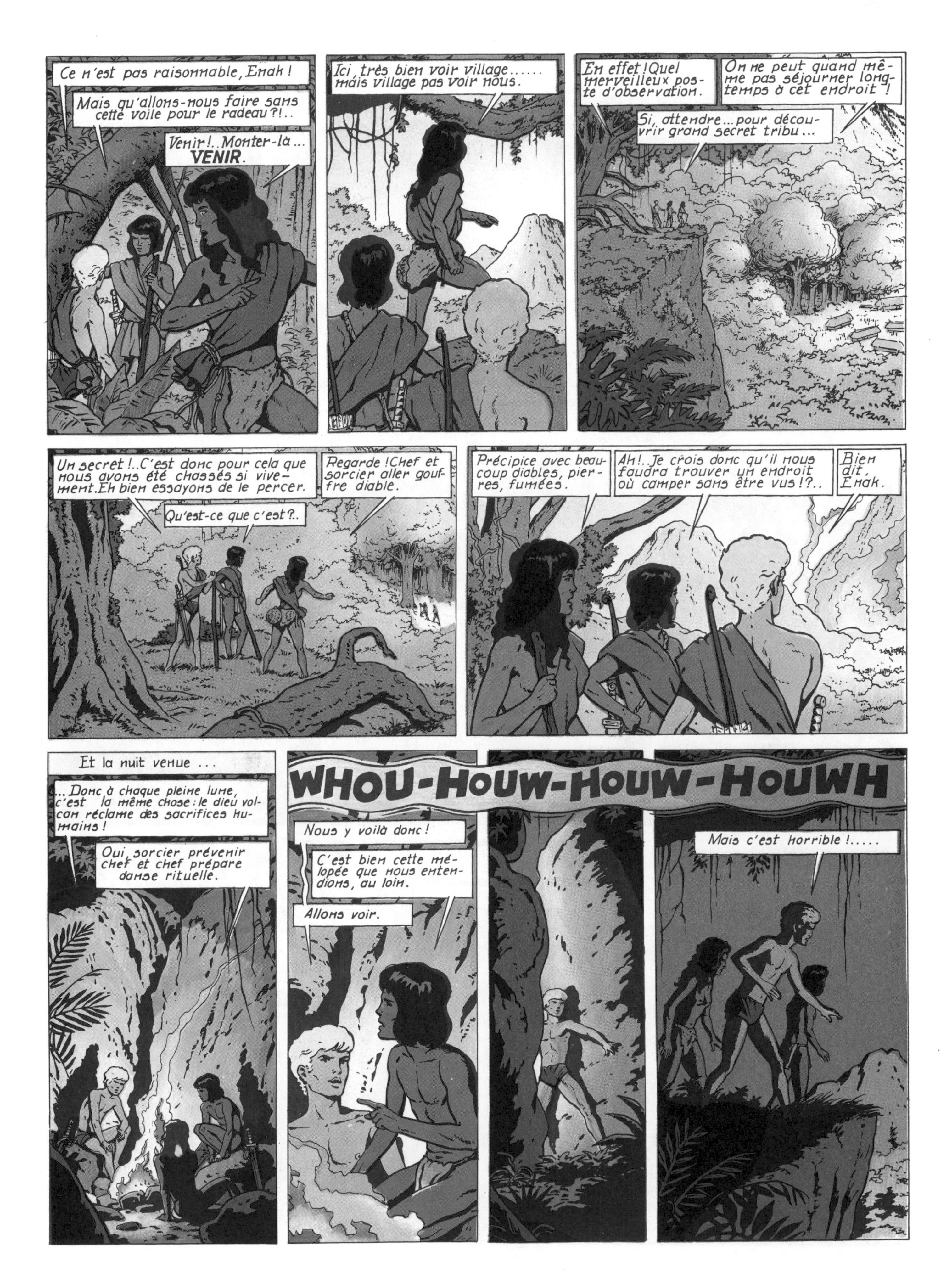

Ce n'est pas raisonnable, Enak !
Mais qu'allons-nous faire sans cette voile pour le radeau ?!..
Venir !.. Monter-là... VENIR.
Ici, très bien voir village...... mais village pas voir nous.
En effet ! Quel merveilleux poste d'observation.
On ne peut quand même pas séjourner longtemps à cet endroit !
Si, attendre... pour découvrir grand secret tribu...
Un secret !.. C'est donc pour cela que nous avons été chassés si vivement. Eh bien essayons de le percer.
Qu'est-ce que c'est ?..
Regarde ! Chef et sorcier aller gouffre diable.
Précipice avec beaucoup diables, pierres, fumées.
Ah !.. Je crois donc qu'il nous faudra trouver un endroit où camper sans être vus !?..
Bien dit, Enak.
Et la nuit venue ...
... Donc à chaque pleine lune, c'est la même chose : le dieu volcan réclame des sacrifices humains !
Oui, sorcier prévenir chef et chef prépare danse rituelle.
WHOU-HOUW-HOUW-HOUWH
Nous y voilà donc !
C'est bien cette mélopée que nous entendions, au loin.
Allons voir.
Mais c'est horrible !.....

WHOU-HOU-HOUHOWW-HOUWHOUWH
Ces adolescents dansent comme des somnambules.
Eux beaucoup boire liqueur donnée par chef !
Lui commander maintenant feu terrible.
Au fait, à quel moment as-tu fui cette cérémonie, Malua?
Tu n'étais pas attachée avec les autres ?...
Si... Mais Malua pas boire et user corde!..User corde!. ..Quand danseurs fatigués, tombés, Malua partir.
Mais ce rite est abominable! On ne va tout de même pas tous les jeter dans ce volcan !?...Ou ce gouffre du diable !?...
Chut ! Nous le saurons bientôt!
En effet !...
Les voici qui se mettent en marche, avec le sorcier à leur tête.
Ramassons nos armes et suivons-les à distance .
Faire attention, Alix!...Dangereux !..Très dangereux!
Rassure-toi, je...
LE CRI!

Cette fois, danger ou pas, il faut aller voir. Suivez-moi..... Nous en aurons le coeur net.
Puis, peu après.
Prenez-garde, c'est très raide... Un faux pas et l'on risque de se retrouver au fond de ce gouffre.
Hé! Voyez!... Là!... Une corniche!
C'est donc par ce chemin que les jeunes gens ont été emmenés.
Enak, ne t'avance pas seul... Attends-nous!...
AHAOUWH!..
Qu'y a-t'il?... Qu'as-tu?...
Regarde! Des étrangers!... Des blancs qui escortent ces malheureux.
Malua, peur!
Tonnerre! Des Phéniciens!
Mais que font-ils là?...
Ils vont jeter ce garçon dans le gouffre du diable!...
MMMFFW!..
Par tous les dieux! Tais-toi!
iiiHH-AAHH

Si l'un de vous fait encore mine de résister il sait ce qui l'attend !... Et en cas de révolte groupée nous sommes très capables de vous jeter tous dans cet abîme, encordés comme vous l'êtes.
Avancez, maintenant !
Sans compter que ces hurlements se répercutent jusqu'au village où les indigènes s'imaginent que leur dieu-volcan dévorent les victimes ...
... qu'ils ont si spontanément offertes à sa voracité ! ...
Affaire bien montée !.. Mais que fais-tu là encore, toi ? Allez file, retourne dans ta tribu, et repère de nouvelles proies pour notre prochain voyage.
Alors !? Tu as entendu ?...
Et, tandis que le sorcier rebrousse chemin, la troupe des captifs sort enfin du défilé. C'est l'instant où l'aube diffuse ses premières lueurs à l'horizon.
Prenez garde !.. Quelqu'un revient !
Ah ! C'est toi !.. Si je comprends bien on t'a renvoyé, mais pourquoi tout seul. Hein ?.. Tu vas nous expliquer cela un peu plus loin.
Avance encore... Voilà, ici, nous serons plus ou moins à l'abri pour t'écouter... Alors ?...
Moi rien dire !. Jamais ! JAMAIS ! Toi pouvoir tuer sorcier.
Tu le mériterais, sans doute ! Pourtant tu vas rejoindre les huttes, en bas, pour annoncer que mes amis et moi allons délivrer les captifs. Va !
Tu diras cela d'abord au chef !... N'oublie pas !
!
!?

Jeter armes... Toi aussi... Sinon sorcier pousser Malua dans gouffre.
Faisons mine, Enak... Mais tiens-toi prêt, je vais attaquer brusquement.
Voilà !...
DZZIOUW
HAAYAAAHHH!.
ALIX!.. ALIX!.. LÂCHE-LE!
Ne fais pas ça, Malua, tu risques de toucher Alix! ... Non! **NON!...**
POK

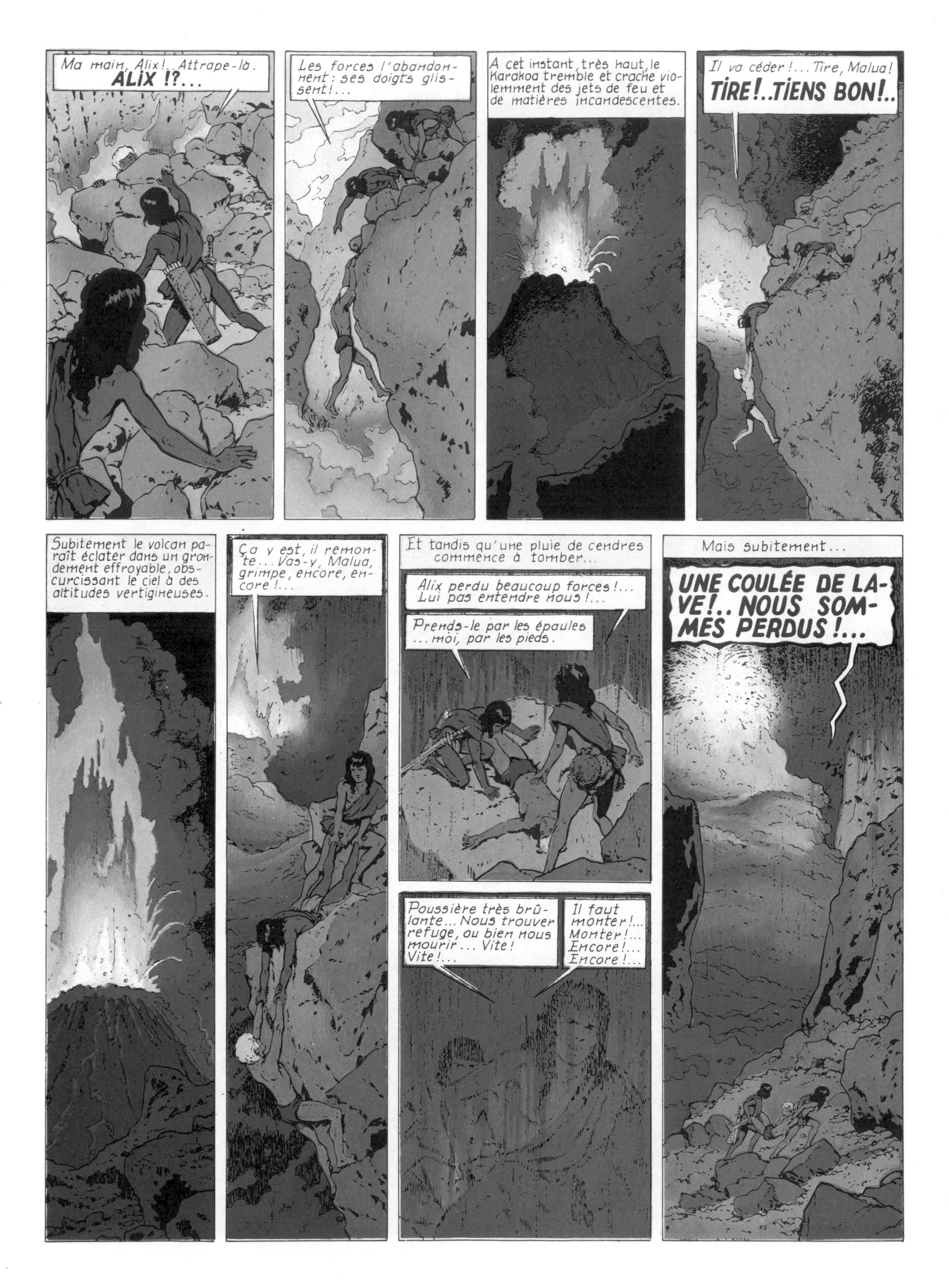
Ma main, Alix!.. Attrape-la.
ALIX !?...
Les forces l'abandonnent: ses doigts glissent!...
A cet instant, très haut, le Karakoa tremble et crache violemment des jets de feu et de matières incandescentes.
Il va céder!... Tire, Malua!
TIRE!..TIENS BON!..
Subitement le volcan paraît éclater dans un grondement effroyable, obscurcissant le ciel à des altitudes vertigineuses.
Ça y est, il remonte... Vas-y, Malua, grimpe, encore, encore!...
Et tandis qu'une pluie de cendres commence à tomber...
Alix perdu beaucoup forces!... Lui pas entendre nous!...
Prends-le par les épaules ... moi, par les pieds.
Poussière très brûlante... Nous trouver refuge, ou bien nous mourir... Vite! Vite!...
Il faut monter!... Monter!... Encore!... Encore!...
Mais subitement...
UNE COULÉE DE LAVE!.. NOUS SOMMES PERDUS!...

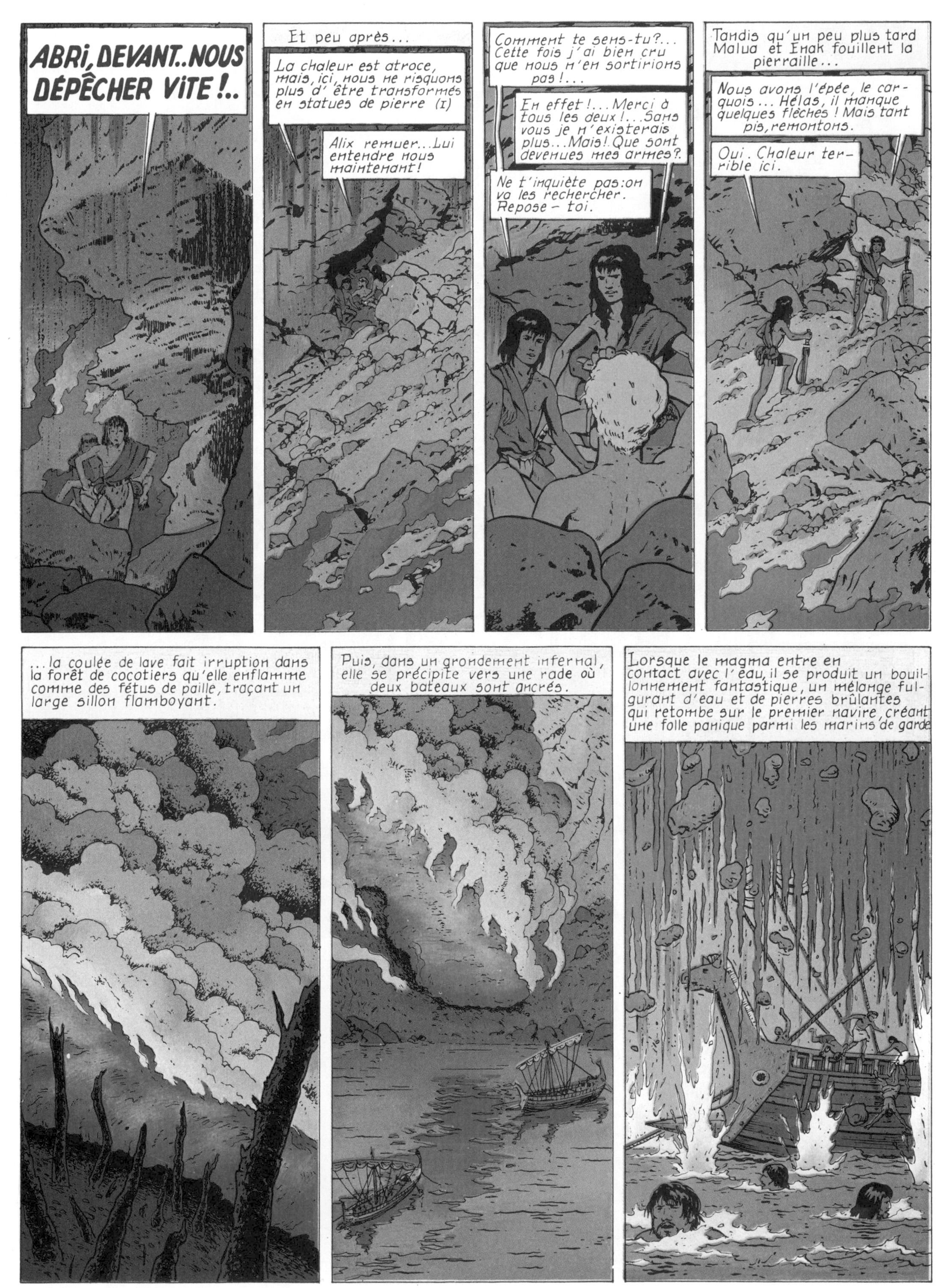

ABRI, DEVANT..NOUS DÉPÊCHER VITE !..
Et peu après...
La chaleur est atroce, mais, ici, nous ne risquons plus d' être transformés en statues de pierre (I)
Alix remuer...Lui entendre nous maintenant!
Comment te sens-tu?... Cette fois j'ai bien cru que nous n'en sortirions pas !...
En effet !... Merci à tous les deux !... Sans vous je n'existerais plus... Mais! Que sont devenues mes armes?
Ne t'inquiète pas: on va les rechercher. Repose - toi.
Tandis qu'un peu plus tard Malua et Enak fouillent la pierraille...
Nous avons l'épée, le carquois... Hélas, il manque quelques flèches ! Mais tant pis, remontons.
Oui. Chaleur terrible ici.
...la coulée de lave fait irruption dans la forêt de cocotiers qu'elle enflamme comme des fétus de paille, traçant un large sillon flamboyant.
Puis, dans un grondement infernal, elle se précipite vers une rade où deux bateaux sont ancrés.
Lorsque le magma entre en contact avec l'eau, il se produit un bouillonnement fantastique, un mélange fulgurant d'eau et de pierres brûlantes qui retombe sur le premier navire, créant une folle panique parmi les marins de garde

(I) voir "la griffe noire".

Bientôt le vaisseau n'est plus qu'un brasier pendant que l'équipage tente désespérément d'échapper aux requins et que les autres marins font échouer le plus petit bateau.
Qu'allons-nous faire à présent ?...
Il n'est plus possible de transporter tous ces esclaves ! Nous garderons les plus intéressants.
Et les autres ?
Leur retour au village est impossible, il est donc nécessaire qu'ils disparaissent. Après tout les requins nous en débarrasseront volontiers. Demain, nous les entasserons sur le pont, puis, une fois en mer, on les poussera par-dessus bord.
Mais, pendant ce temps-là......
Impossible de traverser cette couche en fusion.
Alix. Retourner. Toi encore faible.
Non, ça va !.. Longeons cette paroi, nous finirons bien par trouver la trace des prisonniers.
Regardez, cette lave s'enfoncer dans la mer. Allons jusque là.
Hé ! La masse s'est solidifiée au contact de l'eau et a emprisonné un bateau.
Du moins ce qu'il en reste !
Il y en a un autre, derrière... Il est échoué !
Avec des Phéniciens qui tiennent ces malheureux jeunes gens encordés.. Maintenant je comprends.
Nous avons affaire à des marchands d'esclaves, n'est-ce pas ?...

Des Phéniciens qui naviguent aussi loin ne le font pas pour rien !...
Ce qu'il y a d'étrange c'est l'entente qui règne entre les chefs de la tribu et ces trafiquants !...
Beaucoup temps sorcier et chef apprendre à nous langage phénicien.
Ainsi, depuis des lustres, ces marchands ont imaginé un système très astucieux : se servant de la faiblesse des indigènes, et de l'épouvante que leur inspire ce volcan, ils viennent régulièrement capturer des esclaves. Il est donc impérieux de tout faire pour arrêter une telle pratique et de chasser ces bandits définitivement. Auparavant, préparons de quoi atteindre ce bateau et allumer un feu à bord.
Puis, le soir venu...
Très bon ce gibier. Cela change de cet éternel poisson.
Hé ! Regarde comme ils nous envient !
A quoi bon leur en donner, demain presque tous seront jetés aux squales.
Si, car ceux à garder doivent être bien portants. Alors distribuez-leur de la nourriture.
Et en pleine nuit...
Chut !...
Vas-y !
Enfin, lorsque les premiers rayons du soleil apparaissent...
Il est temps ! Réveillez-vous. Dégager le navire sera difficile.
Les cordes bien accrochées il faudra y atteler les esclaves : cela facilitera les choses.
Attention ! Dépêche-toi, Malua.
Enak, es-tu prêt à tirer ?...

HO !... DU FEU A BORD !
Par l'enfer !
ARRÊTEZ-VOUS, SINON LES FLÈCHES PARTENT ! ...MAINTENANT, RETOURNEZ SUR LA BERGE.
Ils semblent médusés !
Pourtant ils reculent !... Où en es-tu, Malua ?...
Ouf ! Il était temps !
Torche flambe, ici !
POURQUOI CES MENACES ? QUE VOULEZ-VOUS ?..
Libérer vos prisonniers. Si vous refusez nous devrons incendier ce vaisseau.. Prenez garde, nous pouvons aussi vous abattre l'un après l'autre !... Réfléchissez !
Un long moment les Phéniciens se concertent, puis...
Après tout mieux vaut temporiser !
Et nous devons absolument récupérer le dernier bateau !
Soit ! Renvoyons les esclaves... Mais soyons prêts à la riposte !
Alors les jeunes gens sont chassés vers le navire...
...tandis que les trois amis descendent en se protégeant de leur mieux.
Malua, Enak, pendant que je les tiens en respect détachez les liens. Hâtez-vous.
Ils s'enhardissent !... C'est le moment le plus difficile !... Vite, je ne pourrai pas les contenir très longtemps !...

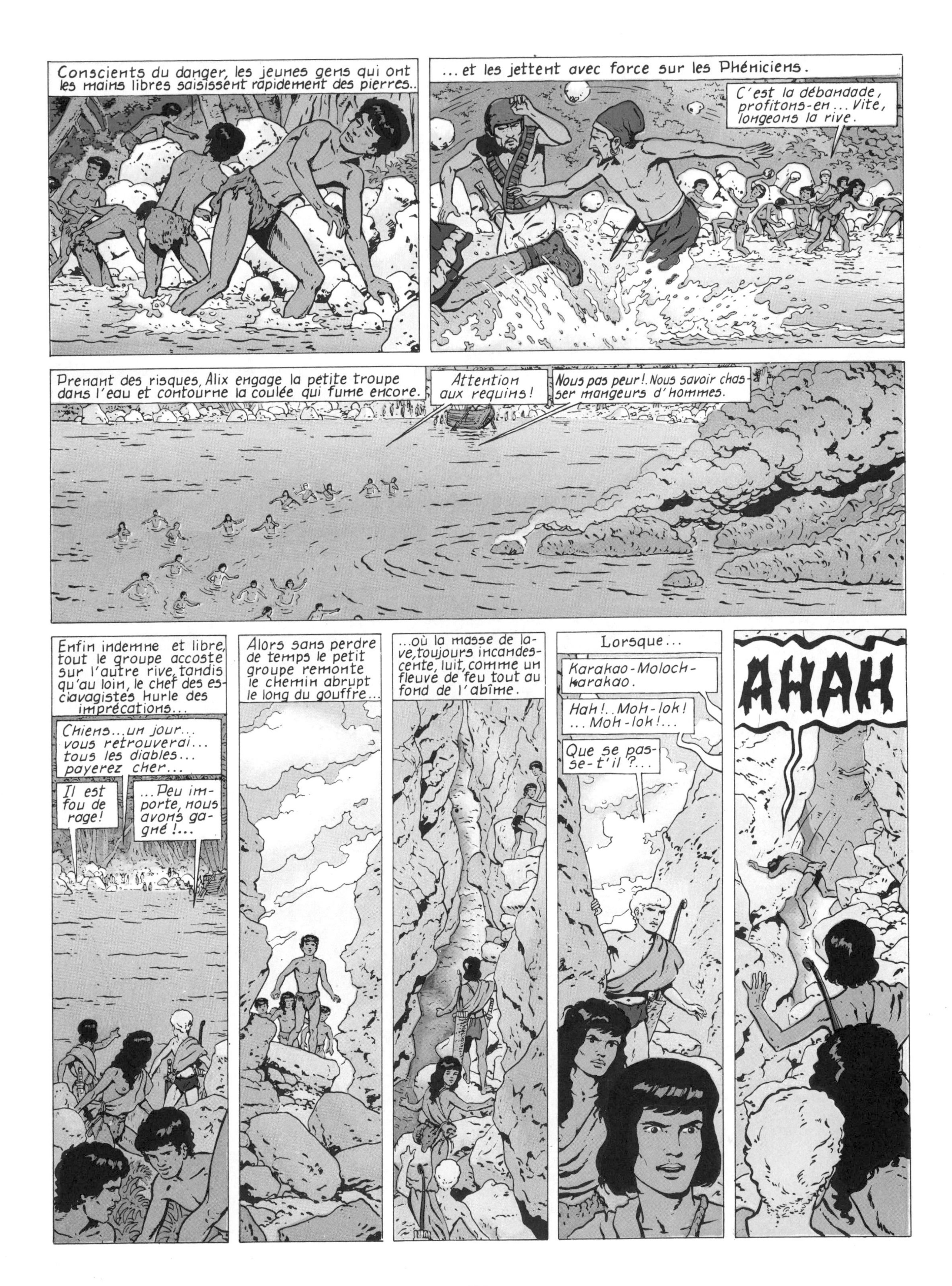
Conscients du danger, les jeunes gens qui ont les mains libres saisissent rapidement des pierres..
...et les jettent avec force sur les Phéniciens.
C'est la débandade, profitons-en... Vite, longeons la rive.
Prenant des risques, Alix engage la petite troupe dans l'eau et contourne la coulée qui fume encore.
Attention aux requins!
Nous pas peur!. Nous savoir chasser mangeurs d'hommes.
Enfin indemne et libre, tout le groupe accoste sur l'autre rive, tandis qu'au loin, le chef des esclavagistes hurle des imprécations...
Chiens...un jour... vous retrouverai... tous les diables... payerez cher...
Il est fou de rage!
...Peu importe, nous avons gagné!...
Alors sans perdre de temps le petit groupe remonte le chemin abrupt le long du gouffre...
...où la masse de lave, toujours incandescente, luit, comme un fleuve de feu tout au fond de l'abîme.
Lorsque...
Karakao-Moloch-karakao.
Hah!..Moh-lok! ...Moh-lok!...
Que se passe-t'il ?...
AHAH

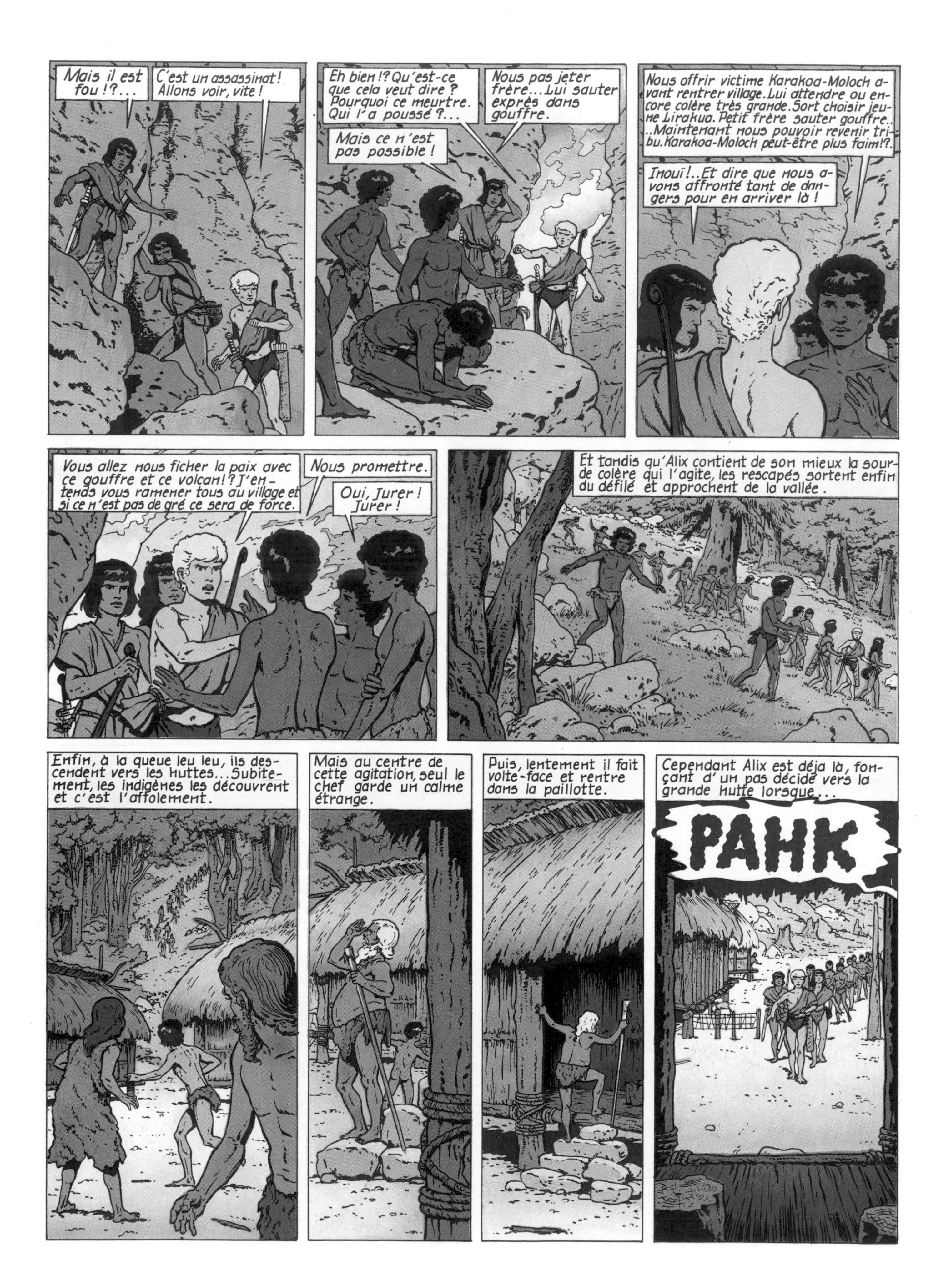
Mais il est fou !?...
C'est un assassinat ! Allons voir, vite !
Eh bien !? Qu'est-ce que cela veut dire ? Pourquoi ce meurtre. Qui l'a poussé ?...
Nous pas jeter frère... Lui sauter exprès dans gouffre.
Mais ce n'est pas possible !
Nous offrir victime Karakoa-Moloch avant rentrer village. Lui attendre ou encore colère très grande. Sort choisir jeune Lirakua. Petit frère sauter gouffre.. ..Maintenant nous pouvoir revenir tribu. Karakoa-Moloch peut-être plus faim !?.
Inouï !.. Et dire que nous avons affronté tant de dangers pour en arriver là !
Vous allez nous ficher la paix avec ce gouffre et ce volcan !? J'entends vous ramener tous au village et si ce n'est pas de gré ce sera de force.
Nous promettre.
Oui, Jurer ! Jurer !
Et tandis qu'Alix contient de son mieux la source de colère qui l'agite, les rescapés sortent enfin du défilé et approchent de la vallée.
Enfin, à la queue leu leu, ils descendent vers les huttes... Subitement, les indigènes les découvrent et c'est l'affolement.
Mais au centre de cette agitation, seul le chef garde un calme étrange.
Puis, lentement il fait volte-face et rentre dans la paillotte.
Cependant Alix est déjà là, fonçant d'un pas décidé vers la grande hutte lorsque...
PAHK

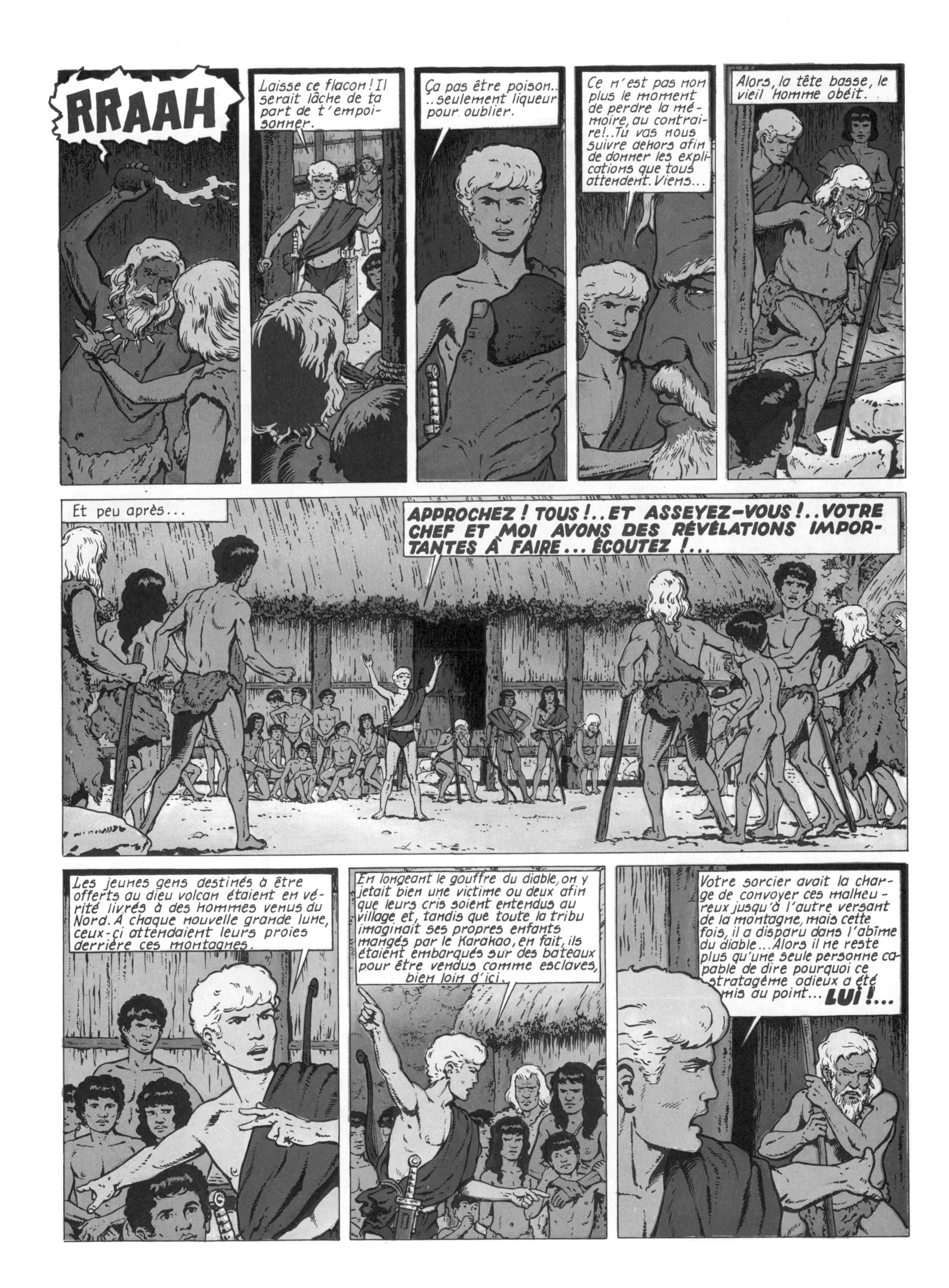

RRAAH
Laisse ce flacon ! Il serait lâche de ta part de t'empoisonner.
Ça pas être poison.. ..seulement liqueur pour oublier.
Ce n'est pas non plus le moment de perdre la mémoire, au contraire!..Tu vas nous suivre dehors afin de donner les explications que tous attendent. Viens...
Alors, la tête basse, le vieil homme obéit.
Et peu après...
APPROCHEZ ! TOUS !.. ET ASSEYEZ-VOUS !.. VOTRE CHEF ET MOI AVONS DES RÉVÉLATIONS IMPORTANTES À FAIRE... ÉCOUTEZ !...
Les jeunes gens destinés à être offerts au dieu volcan étaient en vérité livrés à des hommes venus du Nord. À chaque nouvelle grande lune, ceux-ci attendaient leurs proies derrière ces montagnes.
En longeant le gouffre du diable, on y jetait bien une victime ou deux afin que leurs cris soient entendus au village et, tandis que toute la tribu imaginait ses propres enfants mangés par le Karakao, en fait, ils étaient embarqués sur des bateaux pour être vendus comme esclaves, bien loin d'ici.
Votre sorcier avait la charge de convoyer ces malheureux jusqu'à l'autre versant de la montagne, mais cette fois, il a disparu dans l'abîme du diable... Alors il ne reste plus qu'une seule personne capable de dire pourquoi ce stratagème odieux a été mis au point... LUI !...

Eh. bien, ton peuple attend !... Parle !...
Pères de nos pères adoraient dieu volcan mais jamais offrir victime.
Beaucoup temps après sorcier raconter hommes blancs venir avec bateaux et capturer pêcheurs tribu.
Aussitôt prendre guerriers pour chasser vilains hommes.
Mais armes terribles de ennemis tuer presque tous frères... Pour finir chef étranger avancer vers sorcier et moi.
Lui parler beaucoup, beaucoup...Lui menacer tuer tout village...ou bien donner jeunes gens chaque voyage... Alors moi vouloir réfléchir !
Chef vilains hommes proposer de faire feu pour discuter. Toute une nuit nous inventer histoire pour village. Moi accepter parce que sans cela nous tous morts.
...Comme ça chaque grande lune jeunes gens partir pour esclavage et tribu croire eux sacrifiés à dieu volcan.
Moi faire possible !.. Moi croire cela mieux pour sauver race !.. Moi vouloir... Mais peut-être tort !?. Faire grande faute... Moi plus être chef... Jamais !. ..Et jeter bâton !...

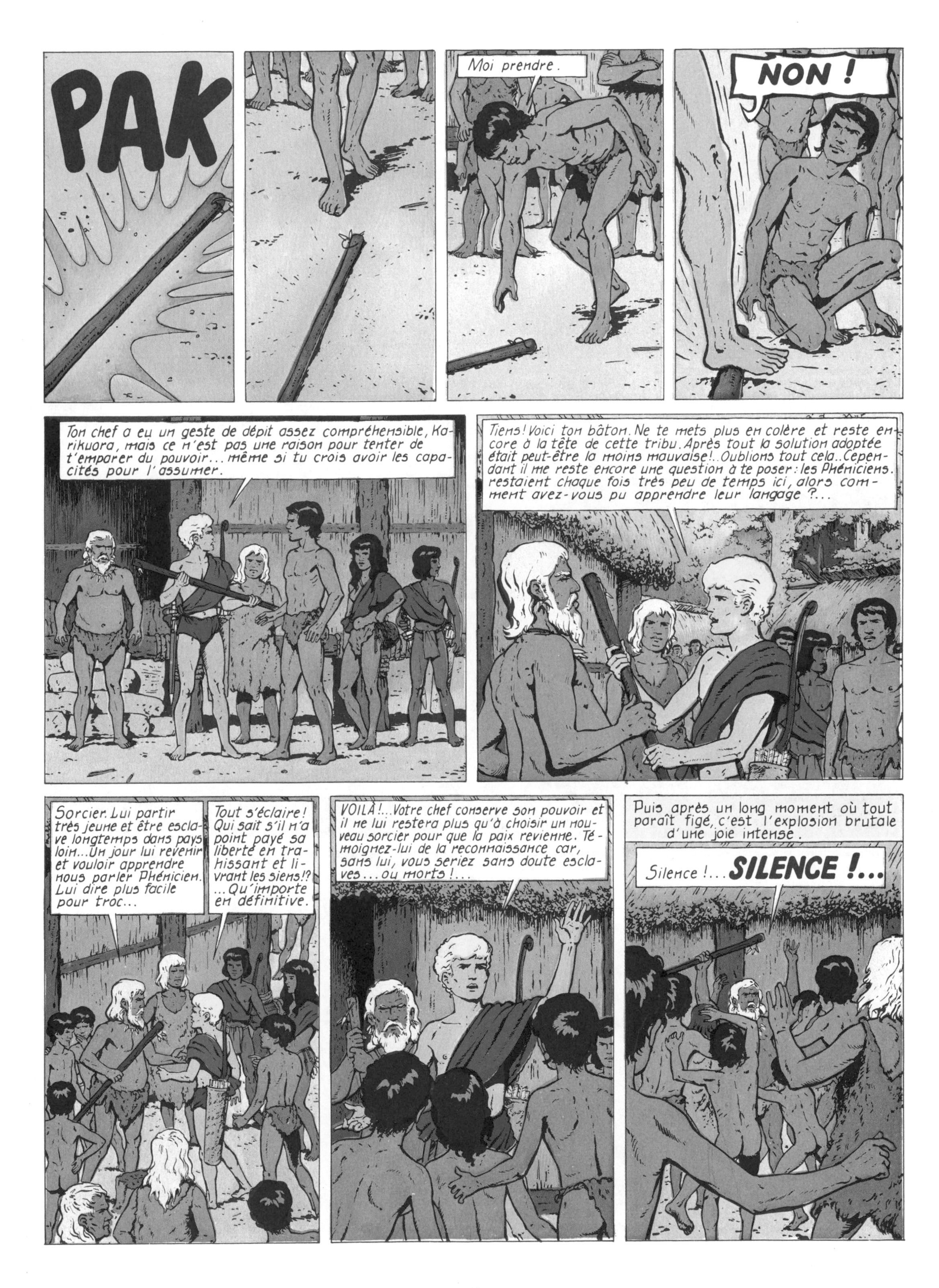

PAK
Moi prendre.
NON !
Ton chef a eu un geste de dépit assez compréhensible, Karikuora, mais ce n'est pas une raison pour tenter de t'emparer du pouvoir... même si tu crois avoir les capacités pour l'assumer.
Tiens! Voici ton bâton. Ne te mets plus en colère et reste encore à la tête de cette tribu. Après tout la solution adoptée était peut-être la moins mauvaise!.. Oublions tout cela.. Cependant il me reste encore une question à te poser: les Phéniciens restaient chaque fois très peu de temps ici, alors comment avez-vous pu apprendre leur langage ?...
Sorcier. Lui partir très jeune et être esclave longtemps dans pays loin... Un jour lui revenir et vouloir apprendre nous parler Phénicien. Lui dire plus facile pour troc...
Tout s'éclaire! Qui sait s'il n'a point payé sa liberté en trahissant et livrant les siens!? ...Qu'importe en définitive.
VOILÀ!...Votre chef conserve son pouvoir et il ne lui restera plus qu'à choisir un nouveau sorcier pour que la paix revienne. Témoignez-lui de la reconnaissance car, sans lui, vous seriez sans doute esclaves... ou morts!...
Puis après un long moment où tout paraît figé, c'est l'explosion brutale d'une joie intense.
Silence !... SILENCE !...

Silence !... Ecoutez-moi !... Pas remercier moi mais Alix. Sans lui nous très mauvais... Maintenant chef prendre nouveau sorcier... Toi Karikuora, approcher.
Si toi vouloir, toi toucher bâton. Jurer fidélité à chef et tribu... Après, apprendre secrets avec vieillards.
Moi jurer.
Maintenant nous fêter retour jeunes gens et fuir rêve maudit... Soir, autour feu, nous manger et danser. Tous préparer grand repas.
Et le jour à peine tombé, le village au complet se trouve réuni autour d'un immense brasier. Cependant, cette fois, depuis longtemps, sans l'amertume des grands sacrifices acceptés avec fatalité mais tellement incompréhensibles !
Deux jours plus tard, c'est tout un convoi qui escorte Alix et Enak dans la forêt. Rien ne manque, ni les peaux assemblées, ni les outils... ni même le chef et le nouveau sorcier.
Alix, toi donner main Malua, comme quand nous venir ! Alix ?...
Mais tu ne crois pas que !?..
Euh ! Comme tu voudras ! ... Le chemin paraîtra moins monotone... Tu es charmante.
HÉ !
ALIX... ..ATTENTION !.

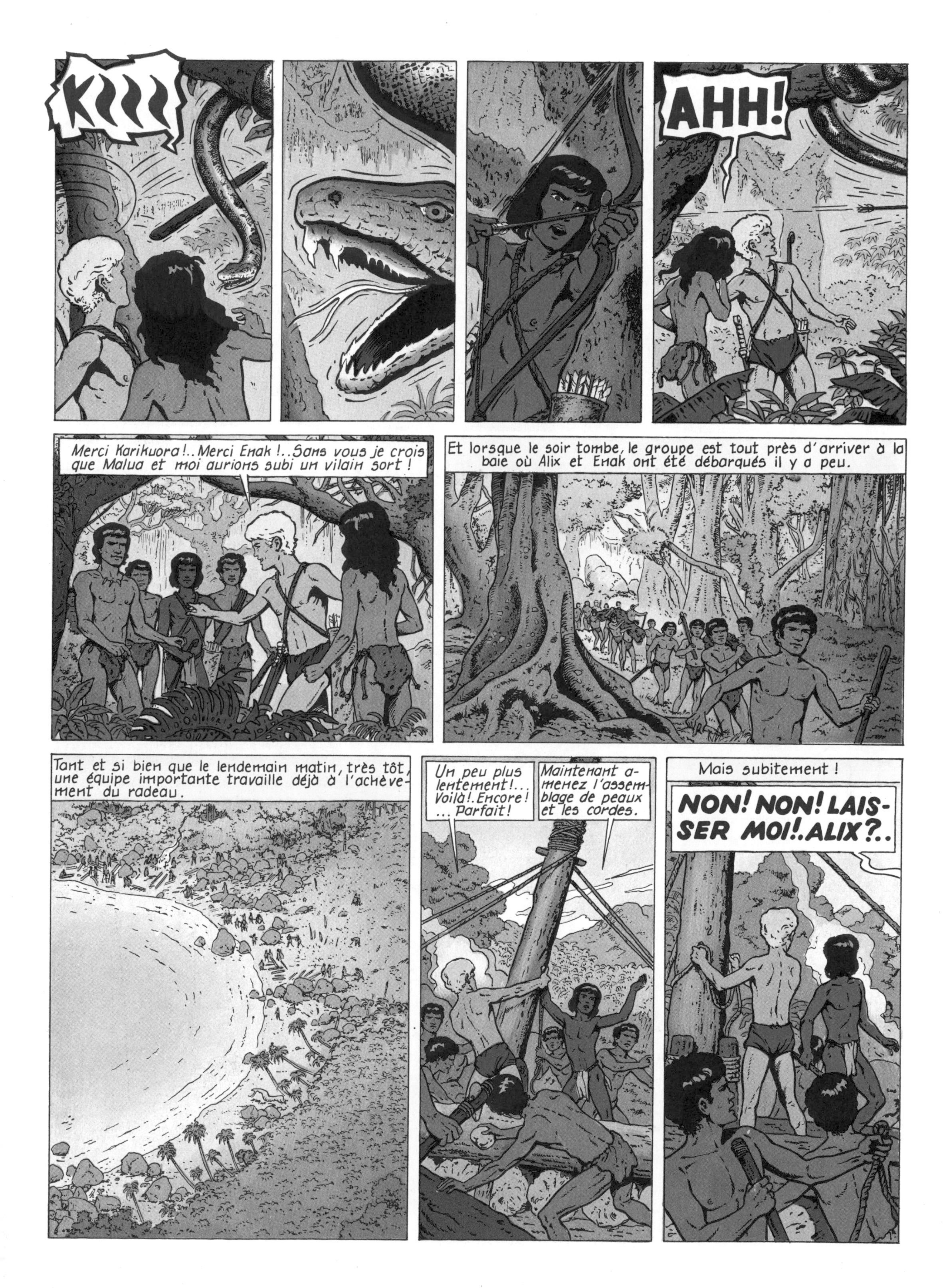
KZZZ
AHH!
Merci Karikuora!.. Merci Enak!.. Sans vous je crois que Malua et moi aurions subi un vilain sort!
Et lorsque le soir tombe, le groupe est tout près d'arriver à la baie où Alix et Enak ont été débarqués il y a peu.
Tant et si bien que le lendemain matin, très tôt, une équipe importante travaille déjà à l'achèvement du radeau.
Un peu plus lentement!... Voilà!. Encore! ... Parfait!
Maintenant amenez l'assemblage de peaux et les cordes.
Mais subitement!
NON! NON! LAISSER MOI!. ALIX?..

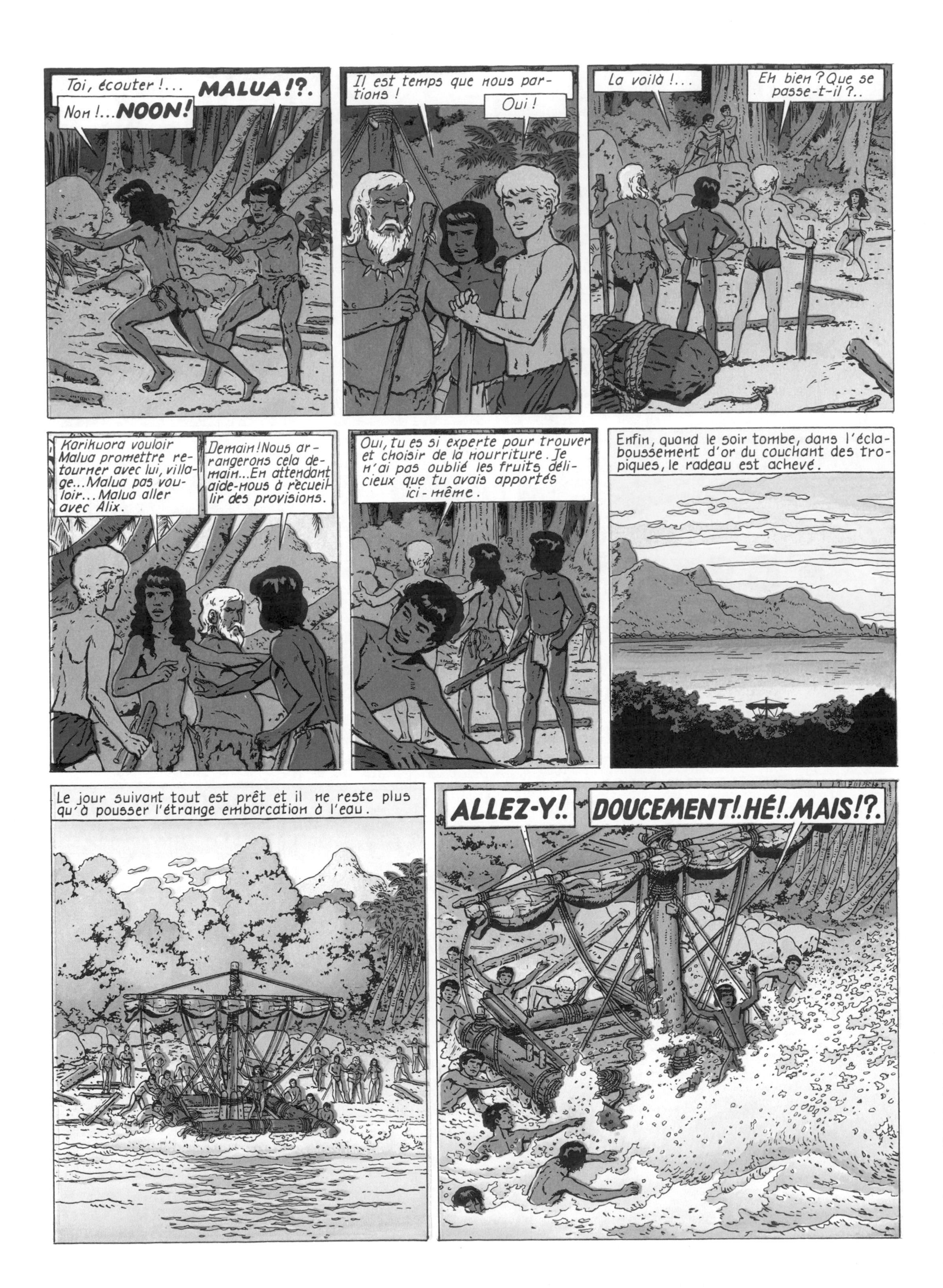
Toi, écouter !...
MALUA!?.
Non !...NOON!
Il est temps que nous partions !
Oui !
La voilà !...
Eh bien ? Que se passe-t-il ?..
Karikuora vouloir Malua promettre retourner avec lui, village...Malua pas vouloir...Malua aller avec Alix.
Demain ! Nous arrangerons cela demain...En attendant aide-nous à recueillir des provisions.
Oui, tu es si experte pour trouver et choisir de la nourriture. Je n'ai pas oublié les fruits délicieux que tu avais apportés ici-même.
Enfin, quand le soir tombe, dans l'éclaboussement d'or du couchant des tropiques, le radeau est achevé.
Le jour suivant tout est prêt et il ne reste plus qu'à pousser l'étrange embarcation à l'eau.
ALLEZ-Y!.
DOUCEMENT!.HÉ!.MAIS!?.

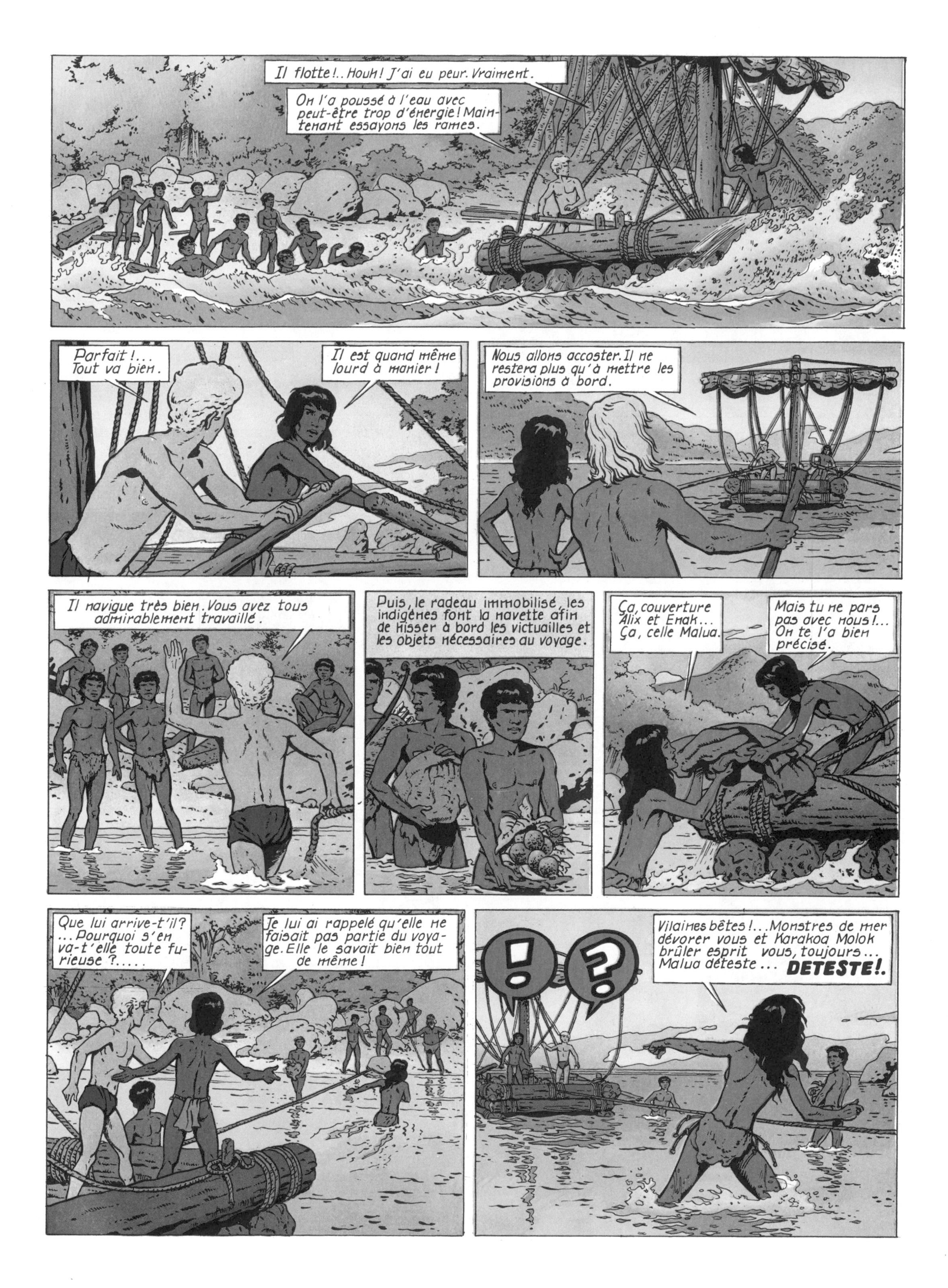

Il flotte!.. Houh! J'ai eu peur. Vraiment.
On l'a poussé à l'eau avec peut-être trop d'énergie! Maintenant essayons les rames.
Parfait!... Tout va bien.
Il est quand même lourd à manier!
Nous allons accoster. Il ne restera plus qu'à mettre les provisions à bord.
Il navigue très bien. Vous avez tous admirablement travaillé.
Puis, le radeau immobilisé, les indigènes font la navette afin de hisser à bord les victuailles et les objets nécessaires au voyage.
Ça, couverture Alix et Enak... Ça, celle Malua.
Mais tu ne pars pas avec nous!... On te l'a bien précisé.
Que lui arrive-t'il? ...Pourquoi s'en va-t'elle toute furieuse?.....
Je lui ai rappelé qu'elle ne faisait pas partie du voyage. Elle le savait bien tout de même!
!
?
Vilaines bêtes!...Monstres de mer dévorer vous et Karakoa Molok brûler esprit vous, toujours... Malua déteste... DETESTE!.

Mais, Malua!?.. Reviens, je vais t'expliquer!.. C'est un malentendu! MALUA!?..
Mieux vous partir maintenant... Tout de suite... Plus rester ici... Temps fini... Lâcher corde.
Aussitôt quelques jeunes gens enlèvent l'amarre et la jettent à l'eau.
VOYAGE BON!. DIEUX PROTÉGER ALIX, ENAK! MERCI POUR TOUT!
MERCI, ÉGALEMENT ... AU REVOIR.
ADIEU LES AMIS!.. NOUS NE VOUS OUBLIERONS JAMAIS!...
Alors pendant un long moment les hommes restent là à agiter les bras et prononcer des paroles de convenance...
...pendant que le radeau s'éloigne sur l'eau calme de la baie.
Mais brusquement.....
ALIX!...
ALIX!. ALIX!...

ALIX!?.ALIX!?..
MALUA!...
Elle est revenue!.Elle court vers nous!..Vite, faisons demi-tour.
Mais!...
...Alix; ce n'est pas raisonnable! Si nous prenons cette fille à bord elle va devoir partager tous les dangers qui nous attendent!..Et puis qu'en ferais-tu à Rome?..Elle y serait combien malheureuse!..Réfléchis. Le bon sens et le courage t'obligent à la laisser avec les siens... Alix!?...
ALIX!.ALIX!?..
Les requins!..Elle va être attaquée par ces monstres...On ne peut la laisser là!...
Dis-lui de retourner.. Tant que tu ne lui crieras pas elle va courir vers le radeau! ...Alix! Voyons!?...
ALIX!... ATTENDRE MOI... ALIX!...
Tu vois, elle ne s'arrête plus... et elle s'enfonce dans l'eau! C'est absurde.
ATTENTION!. ..REQUINS!...
POK

Imprimé en Belgique par Casterman, s.a., Tournai.
Dépôt légal: 2e trimestre 1978; D. 1978/0053/90.
Déposé au Ministère de la Justice, Paris (loi n° 49.956 du 16 juillet 1949 sur les publications destinées à la jeunesse).